Introducción a la
acupuntura

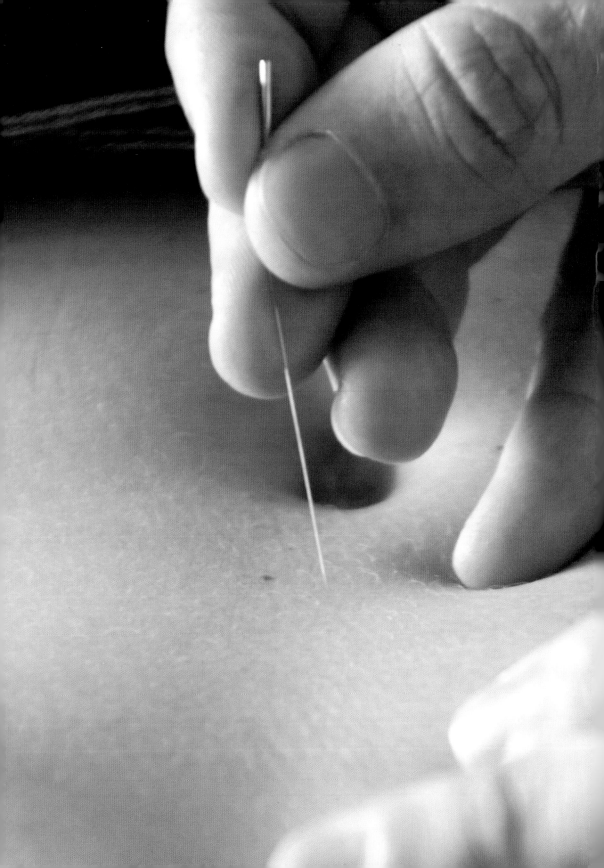

Introducción a la
acupuntura

Una alternativa para mejorar la salud

- ► Armonizar cuerpo, mente y espíritu
- ► Un enfoque evolutivo del Ser, un camino de sanación

Josep Carrion

 HISPANO
EUROPEA

Índice

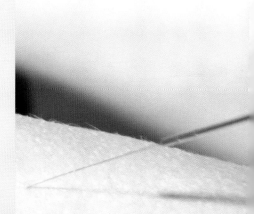

«Cuando vayas al bosque, recuerda fijarte en cada árbol. Cuando mires un árbol, recuerda que es parte del bosque. Lo concreto no es nada sin el todo. La totalidad necesita de lo concreto.»

Presentación

En el año 1994, finalizaba los estudios en acupuntura y Moxibustión como Heilpraktiker (terapeuta de salud). Recuerdo aquellas apasionadas clases, recuerdo mis dudas; que unas agujas pudieran hacer algo sobre una contractura, por ejemplo, llevando ya años tratándolas manualmente y sabiendo lo resistentes que algunas podían ser; y sin embargo ahí estaban los resultados. Qué lejos me parece ahora el camino recorrido hace poco más de quince años.

Cómo podía imaginar yo, no solo la eficacia real sobre una contractura muscular, sino sobre problemas tan graves como hernias discales, migrañas, alergias, sinusitis, alteraciones reumáticas, alteraciones emocionales y quién me lo iba a decir; el camino que había realizado como crecimiento y autoconocimiento personal a través de distintas terapias y cursos, ¡podía ser apoyado, e incluso podía avanzar gracias también a una vertiente de la acupuntura! Y no era ningún descubrimiento mío, sino que miles de alumnos anglosajones formados en la acupuntura tradicional impartida por James Worsley (pionero en la enseñanza de la acupuntura para el desarrollo evolutivo del individuo en Occidente), ya promovían cambios espectaculares en sus pacientes con esta técnica. Desde entonces me he dedicado a impartir cursos para profesionales y no profesionales con este enfoque, aunando lo mejor del saber clínico occidental con lo mejor de la sabiduría ancestral de Oriente.

Debo agradecer a Don Miquel Aguirre, profesor en mis inicios, cuya honestidad me marcó hasta el día de hoy. Nos informó desde el inicio hasta dónde podía enseñarnos en tan poco tiempo y todo el camino que nos quedaba por recorrer. Eso me llevó a seguir buscando, aprendiendo, a formarme en profundidad en Medicina Tradicional China durante cuatro años más con médicos catedráticos chinos, para obtener una buena base, y luego seguir buscando.

También debo a mi amigo Pepe Parras, por su humanidad en la consulta, al que he visto trabajar y obtener grandes resultados, trabajando a un ritmo trepidante, y no por ello desatendiendo ni deshumanizando la consulta sino todo lo contrario. Ello me ha llevado a darme cuenta que el resultado de un tratamiento depende en parte de tu humanidad con el paciente.

De todo esto, surge este libro: la honestidad de decirle al lector lo que puede conseguir y lo que no, y la humanidad que me mueve a decirle de corazón, que puede llegar más allá si lo desea, con la ayuda de la acupuntura.

Así pues, el objetivo de esta obra estriba fundamentalmente en comprender nuestro comportamiento, ayudar a nuestro cuerpo físico, mental y espiritual a mejorar armónicamente.

Estos eran tres preceptos básicos en la Medicina Tradicional China que imperó durante un período importante de su historia, hace cientos de años, por no decir miles. La comprensión del Ser Humano y de la Naturaleza que no pueden sino vivir como un todo en armonía. Una de las maneras de conseguir esto es a través del conocimiento de la acupuntura. Y no solo a través de su práctica, sino del conocimiento y la interiorización de la que uno ha de ser capaz

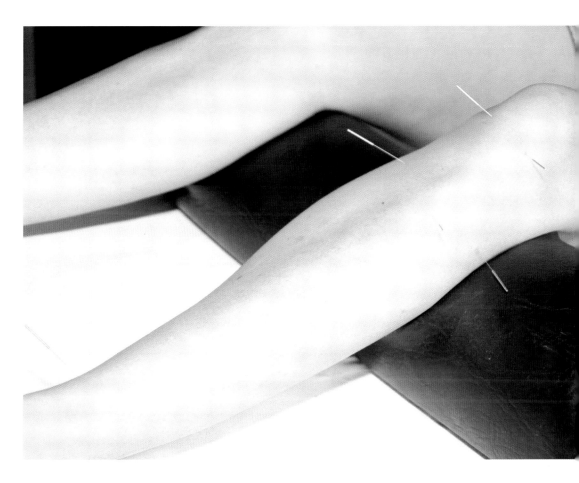

para aplicarla según este enfoque tradicional.

Más allá de explicar que la acupuntura consiste en la mera aplicación de agujas en el cuerpo buscando causar unos efectos, pretendo introducir al lector en un campo poco divulgado, como es el alcance evolutivo de la persona a través de la estimulación de los puntos corporales, llamados puntos de acupuntura, y que pueden ser estimulados no solo con agujas sino también con calor, masaje y, más modernamente, con la aplicación de imanes y color.

Es mi pretensión también ofrecer al lector interesado en la acupuntura, una descripción de la técnica básica acupuntural, el concepto de Qi (chi), comúnmente mal traducido como energía, y que tanta confusión en el mundo de la física ha causado; la relación de las cinco fases de la Naturaleza, reflejadas en el ser vivo; la teoría de los meridianos: circuitos por donde circula esa fuerza vital o Qi; la aplicación clínica tradicional protocolizada en forma de recetario para determinados síntomas, y también la aplicación profunda a nivel holístico según la Medicina China Taoísta.

El lector adquirirá una visión de conjunto de las técnicas acupunturales, sabiendo qué es lo que puede esperar según cada escuela de tratamiento. Dándose cuenta que la efectividad no se haya solamente en la acupuntura en sí, sino también en el acupuntor que la aplica, su conocimiento, su experiencia y su desarrollo personal. Será conocedor, además, de lo que se puede esperar de esta técnica (la acupuntura está recomendada por la OMS para una serie de enfermedades, debido a su eficacia) y también sabrá lo que no se debe esperar de ella, sus límites de actuación, el material utilizado en una sesión típica de tratamiento acupuntural y cómo discriminar una buena y segura práctica clínica de una práctica poco profesional.

En ningún caso es el objetivo de este material, ofrecer tratamientos que sustituyan un diagnóstico o tratamiento médico convencional, lo cual advierto que sería una temeridad, y por supuesto de total responsabilidad sobre la persona que tal decisión tomara. Más bien espero ofrecer una introducción, conociendo la eficacia de algunos puntos.

Es cierto que el conocimiento aportado y la posibilidad de estimular los puntos con masaje le puede brindar al lector una opción a profundizar más en este maravilloso arte sanador.

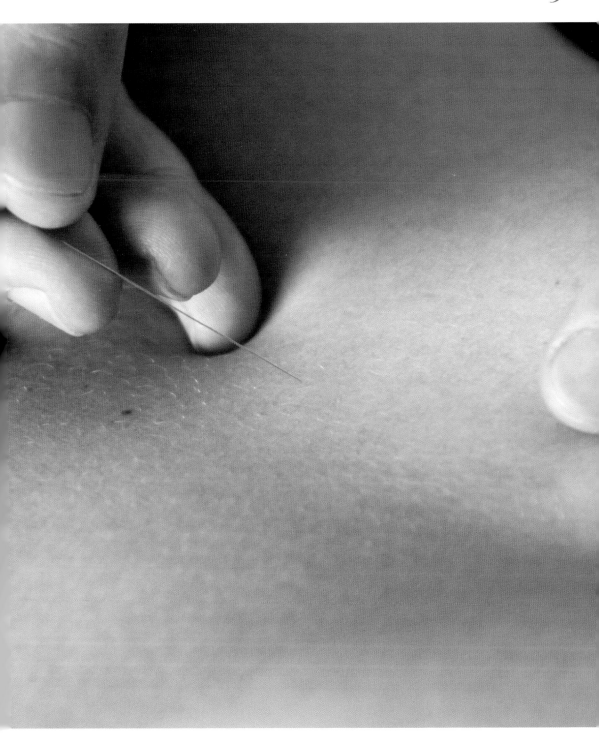

Introducción
a la acupuntura

No es mi intención extenderme en este apartado, pero deseo transmitir al lector qué es lo que va a encontrar en este libro. Ante todo va a obtener una visión de conjunto, una visión básica y también especializada. Cómo es esto posible en tan poco espacio se debe al trabajo de síntesis realizado para poder transmitirle esta información.

He tratado de obviar lo innecesario y dirigirme directamente a proporcionar conceptos útiles y prácticos. He pensado en aquellos que gustan de una aplicación terapéutica holística y evolutiva, para que descubran el poder de la acupuntura en este campo, pero también sus limitaciones.

También sin embargo, proporciono información científica para aquellos que gustan de tratamientos concretos y protocolizados, y lo que estos les pueden aportar. De esta manera, usted puede escoger entre leer todo el libro de principio a fin, o si lo desea, escoger los capítulos más afines a su intención.

La primera parte del libro está dedicada a definirle la acupuntura y explicarle por dónde circula el Qi o fuerza vital. Cuál es el sistema de canales en el organismo.

En el mismo capítulo encontrará todo un apartado con una descripción muy útil y completa acerca de las técnicas acupunturales más utilizadas: así podrá tener una idea de la variedad de opciones que existen para abordar un tratamiento.

Dedico posteriormente un capítulo completo para presentarle la Teoría de los Cinco Movimientos, dada su importancia en la acupuntura clásica y moderna. Le gustará ver cómo se relacionan los aspectos físicos, mentales y ambientales entre sí. Cómo un sistema filosófico se puede convertir en aplicación clínica.

Sigo con un apartado que es de especial importancia pues le describe en qué casos es de utilidad la acupuntura. Aspecto fundamental a la hora de plantearse un tratamiento.

Para todos aquellos que deseen saber cómo funciona la acupuntura en el organismo es importante que lean detenidamente el subcapítulo que dedico a ello.

En él se aportan datos técnicos y científicos que le ayudarán a comprender la utilidad de esta terapia. Este apartado puede

resultar aburrido si usted no desea saber demasiado acerca de este tema. Sin embargo, considero que aporta solidez el conocer estos detalles, y genera confianza.

En el siguiente capítulo, se describen los aspectos prácticos de una sesión acupuntural. Qué es lo que se va a encontrar al acudir a un tratamiento de este tipo.

Dentro de este último capítulo incluyo respuestas a algunas de las preguntas más frecuentes de pacientes y alumnos míos, las cuales considero importantes porque quizá se asemejen a aquellas cuestiones que usted me plantearía de tenerme ante usted.

Y para acabar, añado dos apéndices que le aportan alguna idea a tener en cuenta sobre los estudios de acupuntura, y sobre mí mismo como profesional.

¡Que disfrute de la lectura!

Qué es la acupuntura

Qué es la acupuntura
Vías de conducción, meridianos y puntos

La acupuntura la podemos definir como el proceso mediante el cual se estimulan ciertos **puntos** del cuerpo para conseguir determinados resultados. Y esto puede realizarse con agujas, calor, masaje, etc.

Los puntos están, muchos de ellos, situados en vías de paso principales o meridianos. En la teoría y práctica acupuntural utilizamos la descripción clásica de las vías de conducción y de los puntos acupunturales.

Ya sea según la escuela clásica, en la que afirmamos que el cuerpo está cualificado por una fuerza vital o Qi; o bien más clínicamente que afirmemos que existen una serie de reacciones fisiológicas en el organismo al realizar la acupuntura y que esto provoca un determinado efecto. Sea cual sea la escuela, necesitamos unas **vías de conducción**, un mapa por el cual circulan estos flujos vitales o inducciones fisiológicas; de igual manera que la sangre tiene su sistema de canales en el cuerpo humano, y el sistema nervioso tiene también su propio recorrido, etc.

En estos recorridos o canales, llamados tradicionalmente **meridianos**, encontraremos una serie de compuertas, interruptores o vías de acceso, parecidas a las alcantarillas en la ciudad. Estos nodos de acceso al sistema de canales se conocen como **puntos de acupuntura**, de mayor o menor importancia según la zona, el punto, su acción, etc.

Los meridianos principales que conocemos y que atraviesan longitudinalmente el cuerpo, son doce, y están conectados unos con otros, estableciendo un circuito cerrado, una red de interconexiones, donde es posible afectar una zona desde otro punto distante por ejemplo. De estos doce meridianos principales, nacen otros canales menores, que se van subdividiendo como las raicillas de un árbol, y finalmente inundando y alcanzando todo el cuerpo humano.

Acerca de la localización, existencia o verosimilitud de este sistema de meridianos, se han llevado a cabo, a lo largo de los años, numerosas pruebas científicas.

Pensemos que históricamente no existe un estudio progresivo sobre el descubrimiento de estos canales sino que aparece su descripción en la literatura antigua de repente y así, de repente, aparece la descripción de los doce meridianos y sus puntos principales.

Cito a continuación dos estudios científicos de los más conocidos, que atestiguan la existencia de este sistema en nuestro organismo:

▶ El investigador francés Pierre de Vernejoul (1) inyectó tecnecio 99 en puntos acupunturales en humanos y controló su absorción y el desplazamiento del isótopo mediante un equipo de gammagrafía. Comprobó que el tecnecio radioactivo migraba siguiendo el trayecto de los meridianos, así como que recorría unos 30 cm en los primeros 4 a 6 minutos. Además verificó que la inyección del mismo isótopo en sitios de la piel que no corresponden con puntos ni meridianos, en las vías venosas y en los vasos linfáticos no reproducía ningún patrón de difusión parecido.

(1) De Vernejoul, P. y cols. «Study of Acupuncture Meridians using Radioactive Tracers». *Bull. Acad. Nat. de Medicine*

▶ Masaje. Manaka, citado por Friedman y cols. (1989) (2), inyectó sobre el trayecto de meridianos, en puntos acupunturales y fuera de estos, sales catiónicas de cobre (Cu) y aniónicas de zinc (Zn) y observó la respuesta ante el dolor provocado por la presión. Tanto en uno como en otro caso, en la secuencia Cu-Zn apareció un incremento del umbral, mientras que en la secuencia Zn-Cu, se registraba una disminución.

(2) Friedman y cols. «Toward the developement of a mathematical model for acupuncture meridians». *Acupunct. Electrother. Res., 1989; 14(3-4); p.217-226.*

De esta manera podemos influir sobre la totalidad del organismo a través de ciertos puntos, localizados a lo largo de trayectos en nuestro organismo, como veremos en el capítulo dedicado a los efectos de la acupuntura.

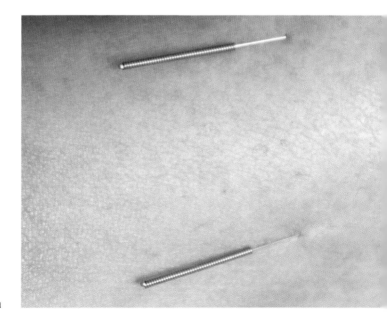

16

Qué es la acupuntura. Vías de conducción, meridianos y puntos

Según la teoría básica de la acupuntura, el Qi del cuerpo humano circula por una serie de canales. Los principales y más conocidos son doce. Y adoptan en occidente el nombre del órgano o víscera que atraviesan. Así: E: estómago; VB: vesícula biliar; H: hígado; PC: pericardio; C: corazón; R: riñón; V: vejiga; B: bazo; ID: intestino delgado; IG: intestino grueso; P: pulmón; SJ: sanjiao (en occidente se asocia al sistema endocrino). Existen otros meridianos con aplicaciones clínicas importantes y que afectan a funciones orgánicas globales, por ejemplo, el Du Mae (DM) y Ren Mae (RM). A modo de ejemplo, mostramos algunos de estos meridianos principales con los puntos más destacados.

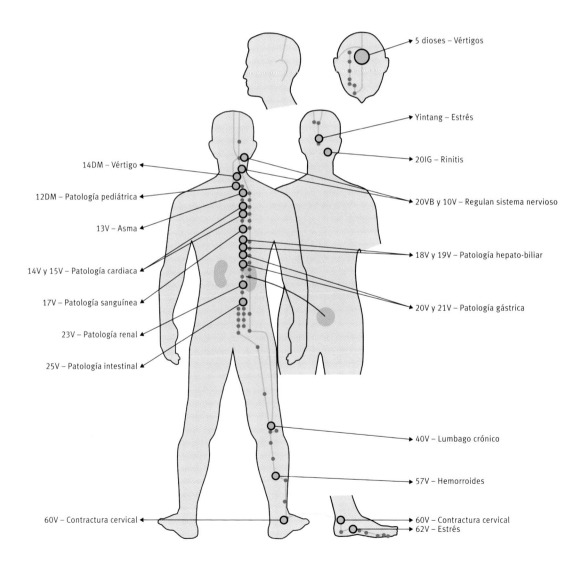

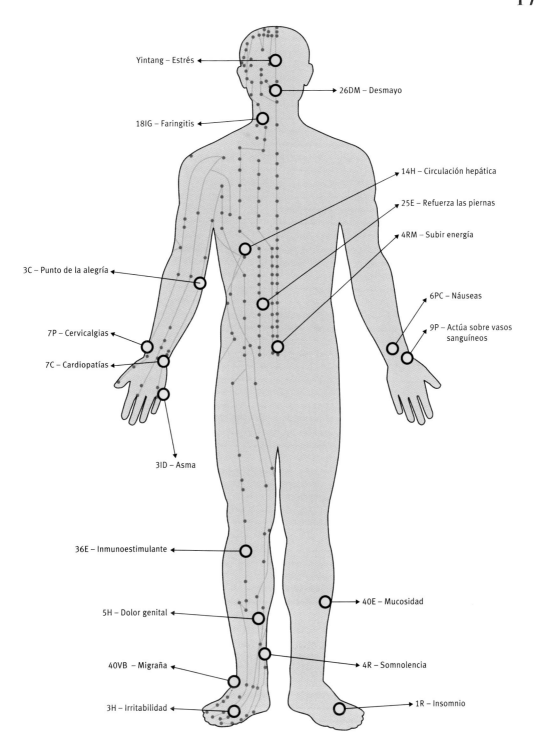

Yintang – Estrés

26DM – Desmayo

18IG – Faringitis

14H – Circulación hepática

25E – Refuerza las piernas

4RM – Subir energía

3C – Punto de la alegría

6PC – Náuseas

9P – Actúa sobre vasos sanguíneos

7P – Cervicalgias

7C – Cardiopatías

3ID – Asma

36E – Inmunoestimulante

5H – Dolor genital

40E – Mucosidad

40VB – Migraña

4R – Somnolencia

3H – Irritabilidad

1R – Insomnio

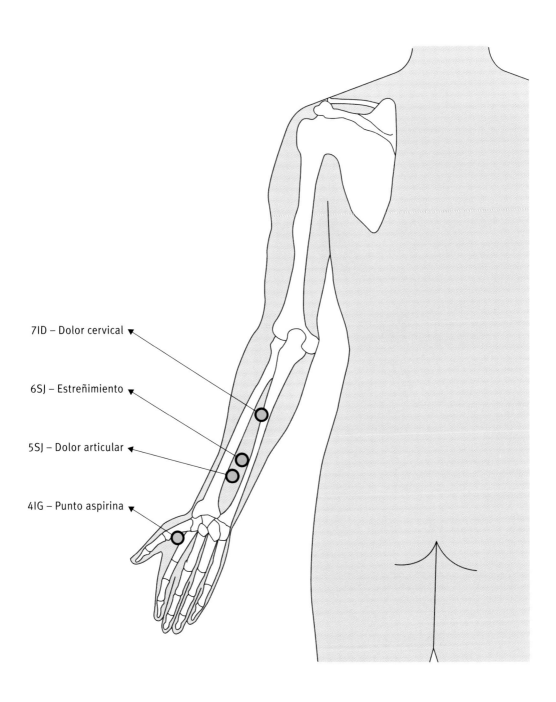

7ID – Dolor cervical

6SJ – Estreñimiento

5SJ – Dolor articular

4IG – Punto aspirina

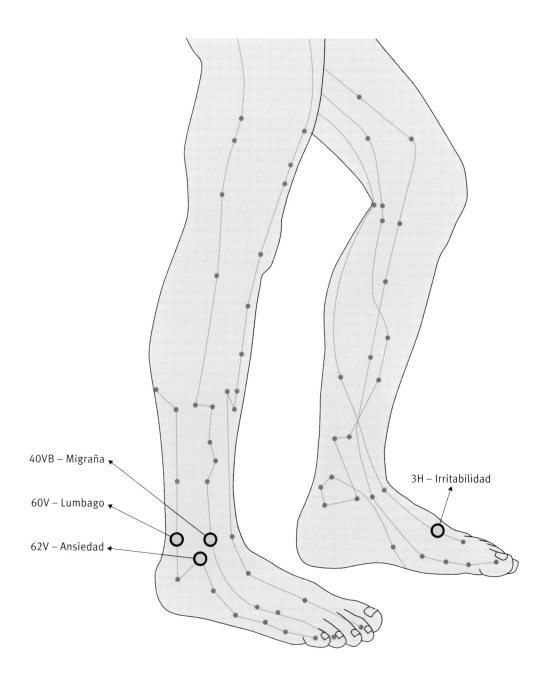

40VB – Migraña

60V – Lumbago

62V – Ansiedad

3H – Irritabilidad

A través de los puntos situados sobre los meridianos, actuamos para lograr un efecto terapéutico concreto. Los puntos de acupuntura tienen todos, en primer lugar, una acción local sobre la zona en la que se encuentran. Esto es, que los puntos actúan sobre el mismo lugar en donde se hallan localizados. Por ejemplo, un punto en la mano tendrá efectos sobre esa zona de la mano en concreto, regulando cualquier alteración que haya en esa zona concreta. Por ello, los puntos dolorosos a la presión se tratan en muchos casos directamente para tratar el dolor de ese punto. Los puntos de acupuntura tienen también un efecto por su función: acción sobre músculos y tendones en general, sobre los vasos sanguíneos, sobre la regulación del sistema nervioso autónomo, sobre los huesos, sobre la sangre, sobre órganos o vísceras, sobre la zona **baja, media** o alta del cuerpo, sobre la termorregulación, sobre el aparato digestivo, etc. Por ejemplo utilizaremos el punto Ge Shu localizado en la espalda, para ayudar en el tratamiento de cualquier afección sanguínea.

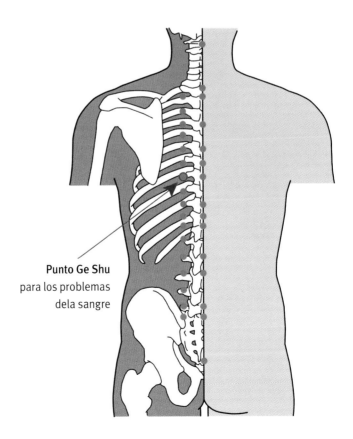

Punto Ge Shu
para los problemas
dela sangre

Los puntos de acupuntura también actúan sobre el meridiano en el que están localizados, movilizando el flujo de Qi de diferentes maneras según el punto y la técnica utilizada por el acupuntor. Además, si el meridiano sobre el que se halla el punto es por ejemplo un meridiano que atraviesa principalmente el pulmón y el intestino grueso, entonces cualquier punto de este meridiano actuará más o menos sobre pulmón e intestino grueso.

Para ello la Teoría de los Cinco Movimientos nos orienta en la utilización de los puntos según el meridiano en el que se encuentran.

Muchos puntos de acupuntura tienen efectos fisiológicos demostrados clínicamente. Por ejemplo el punto Neiguan para las náuseas. Así pues, los puntos también podrán ser utilizados según las funciones clínicas demostradas.

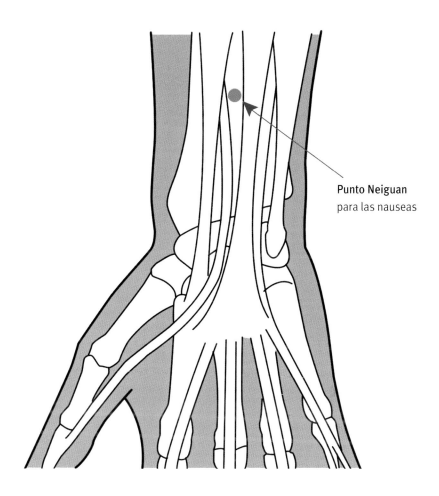

Punto Neiguan
para las nauseas

Por todo ello, el lector se hará una idea de la complejidad de la elaboración de un tratamiento efectivo ya que hay que tener en cuenta la combinatoria de puntos entre sí, si atendemos a la cantidad de puntos utilizados en una sesión, el orden de puntura (orden de aplicación de los puntos sucesivamente al aplicar por ejemplo la acupuntura así como al retirar las agujas en determinado orden), la técnica que el acupuntor utilice sobre cada uno de ellos, etc.

Todo ello condiciona el resultado del tratamiento y su efectividad. Por ello no podemos dudar de si la acupuntura funciona o no, pues está sobradamente demostrada su efectividad. Debemos hablar de si está indicada o no como eficaz en lo que el paciente solicita, atendiendo a la frecuencia con que podremos aplicar el tratamiento y durante cuánto tiempo podremos contar con la confianza del paciente.

No es lo mismo aplicar la acupuntura, subvencionada por el sistema público sanitario con sesiones diarias y sin límite de sesiones, que si contamos con un sistema privado donde el paciente está invirtiendo tiempo y dinero, y no podrá permitirse veinte o treinta sesiones antes de experimentar mejoría, y que esta mejoría sea todo lo esperable en su caso.

El paciente que acudió al sistema público para su tratamiento, al experimentar una mejoría, aunque no sea total, al cabo de tres meses estará muy satisfecho y volverá sin duda a realizar nuevas sesiones. El paciente que fue tratado abonando sesión tras sesión, con la misma mejoría, experimentará frustración al observar que el resultado no es total y que deberá alargar el tratamiento en el futuro sin ninguna garantía.

Esta relación entre expectativas y resultados en los tratamientos está suficientemente estudiada por la Sociología y la Bioestadística. Por tanto, la acupuntura funciona pero debemos saber si está indicada en nuestro caso (hablaremos de ello más adelante en este libro) atendiendo a nuestras expectativas.

También debemos saber que lo que lo realmente importante es el acupuntor. La experiencia al escoger un tratamiento u otro, la combinatoria de unos u otros puntos así como la técnica de tratamiento, puede hacer que lo que ningún acupuntor solucionó, otro lo logró en pocas sesiones y viceversa. Lo que dio resultado en el pasado puede no funcionar en el presente.

Muchos pacientes acuden a mi consulta con comentarios tipo «vengo a que me hagan acupuntura, porque hace unos años me fue muy bien para esto mismo».

Lo primero a saber es que lo que le dio resultado en el pasado fue el fruto de decidir una serie de puntos escogidos para ese momento concreto atendiendo a una serie de variables y provocando una buena respuesta en el organismo, que quizá no sea la misma en el presente.
En segundo lugar recomiendo que si un acupuntor consiguió un buen resultado para usted, ¡vuelva a él! Sería un error pensar que la acupuntura es siempre la misma, la aplique quien la aplique.

Si usted vive en Taiwán por ejemplo y acude al médico por un problema y no le funciona, no busca otra medicina diferente, sino que se busca otro acupuntor con más experiencia en su problema o con otra técnica acupuntural diferente. Este es el paso que en Occidente debemos dar; vemos la acupuntura como algo misterioso y útil de por sí.

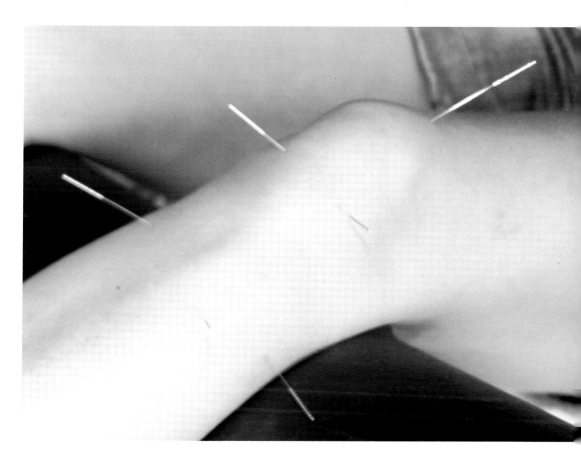

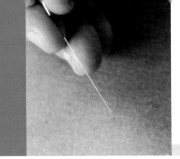

Técnicas
acupunturales

Cuando uno inicia sus estudios en acupuntura, tiene la idea que «acupuntura es acupuntura», y ya está. Es decir, tiene la imagen visual de lo que ha visto en fotografías, libros, películas, o incluso en su imaginación.

Me recuerdo perfectamente a mí mismo en mis primeros estudios en acupuntura y oxibustión como Heilpraktiker. Mi idea preconcebida: tener unas agujas finísimas en las manos que serían aplicadas en ciertos puntos «misteriosos» o «mágicos» y conseguirían un determinado efecto curativo sobre el paciente.

Mis primeras prácticas al cargo de experimentados acupuntores, hace ya más de 15 años, empezaron a tambalear estas rígidas e inocentes ideas embrionarias, pues aquellos prestigiosos profesionales de la Medicina Tradicional China ¡trabajaban todos de forma tan diferente...! De repente utilizaban una técnica que yo no había aprendido en la escuela, y que no alcanzaba a comprender.

Fue unos años más tarde, finalizando los estudios en la Licenciatura de Medicina Tradicional China (no reconocida en nuestro país) que impartían algunos de los mejores catedráticos de universidades chinas, cuando comencé a ver de qué iba en realidad todo esto. La edad de la inocencia había acabado. Recuerdo los seminarios monográficos del Dr. Huang Li Ming en técnicas tan exclusivas como la acupuntura de muñecas y tobillos, o la acupuntura ocular refleja, que para nada son técnicas para solucionar problemas articulares u oftálmicos, sino al contrario, técnicas globales con las que se podía alcanzar terapéuticamente el organismo entero, a través de puntos situados alrededor de las muñecas y los tobillos, o de las cuencas orbitales.

Estas técnicas eran utilizadas en muchos casos obteniendo mayor eficacia y rapidez que la que conocíamos como acupuntura tradicional. Y la forma de aplicar las agujas, el tipo de agujas en algunos casos, la evaluación del enfermo para determinar el tratamiento a realizar, eran literalmente diferentes. No excluyentes de otras técnicas pero sí diferentes.

Y esto no fue más que el inicio de mi despertar; como el sol que sale por la mañana y te revela de repente un sinfín de colores, texturas, luces, relieves…, de la misma manera me maravillaba la gran variedad terapéutica que se abría ante mí.

Con esta descripción quiero honrar el sentimiento de admiración que sentí entonces, y lo continúo sintiendo hoy en día.

Desde aquel entonces no he dejado de estudiar y acudir a cursos, de hablar con profesionales de diferentes estilos, leer la infinita bibliografía que podemos encontrar traducida principalmente al inglés, y madurar profesionalmente.

De esta forma, cuando el lector se plantee bien acudir a una terapia acupuntural, bien iniciar unos estudios en acupuntura, debe saber lo que le espera. Debe dejar de lado las expectativas, debe informarse acerca de cómo es el tratamiento, no compararlo con experiencias anteriores o relatadas por otros pacientes o alumnos, y sencillamente informarse.

Como hasta ahora les he adelantado, existen muchas técnicas acupunturales.

Algunas de las tendencias más comunes en nuestro país, que podemos encontrar como diferentes formas de utilizar la acupuntura son las que relaciono a continuación.

Acupuntura china tradicional o taoísta

Se basa en la analogía del ser humano con la Naturaleza y con el entorno que lo rodea. Tiene en cuenta la total interrelación entre lo físico, emocional, mental y también lo espiritual. Entendiendo como espiritual el propósito de vida, lo que el ser humano como tal viene a llevar a cabo a la tierra. Es un concepto taoísta que persigue recuperar tu fuerza vital, descubrir qué camino has de seguir, manteniéndote en equilibrio y en armonía en todos los niveles. Los tratamientos van dirigidos siempre en esta línea y se consideran también los aspectos constitucionales o predisponentes del cuerpo humano.

Una vez se encuadra la afectación del paciente en el nivel tierra (cuerpo físico afectado como causa principal), nivel hombre (el cuerpo emocional-mental como la afectación causante principal de todo el desorden) o el nivel cielo (la búsqueda de un sentido de vida, y la coherencia con lo más esencial de cada uno como causa discordante), se realiza el tratamiento basándose en la Teoría de los Cinco Movimientos o Cinco Fases.

Dentro de esta línea de trabajo se encuentran los estudios de la acupuntura de los Cinco Elementos

según James Worsley, muy difundida en los países de habla anglosajona, de gran prestigio y reconocimiento internacional.

También la acupuntura de meridianos japonesa, o la acupuntura coreana en su enfoque más tradicional, con el equilibrio de las constituciones y los cinco movimientos, que trabajan para conseguir el resultado terapéutico en esta línea. **Están muy indicadas en procesos crónicos y para reforzar la salud**. Se estimula la fuerza vital del organismo, para que sea capaz de hacer frente a cualquier problemática de salud que se le presente.

Este tipo de acupuntura se complementa frecuentemente con consejos de hábitos de vida, dietética, etc., que vayan en la dirección terapéutica prevista por el acupuntor. El paciente debería experimentar en pocas sesiones una mayor fuerza y resistencia, mejor estado de ánimo, mayor calidez corporal, más equilibrio nervioso, y por ende un umbral del dolor disminuido. Se aplican agujas filiformes, calor en los puntos indicados, ventosas o masaje. Se realizan sesiones semanales o quincenales hasta obtener la mejora deseada. Cada paciente es único y cada momento terapéutico lo es también.

Acupuntura clínica

Esta técnica de acupuntura, es la que se utiliza principalmente por médicos en el ámbito hospitalario occidental, aplicando los puntos según su función clínica y fisiológica demostrada. Se escogen unos puntos que formen una receta-medicamento, adecuada para la enfermedad concreta por la que consulta el paciente y se aplica el tratamiento protocolariamente.

Este tratamiento suele ser el mismo para todos los pacientes, y **atiende principalmente a la enfermedad más que al enfermo.** Resulta de gran utilidad para coadyuvar a los tratamientos farmacológicos convencionales, y que frecuentemente permite disminuir las dosis de estos, o bien la duración de los tratamientos o bien la eficacia definitiva del tratamiento.

Como ejemplos en acupuntura clínica tenemos:

- ▶ Control de las náuseas provocadas por la quimioterapia.
- ▶ Control del estado ansioso.
- ▶ Adicciones.
- ▶ Dolor articular.
- ▶ Insomnio.
- ▶ Molestias gástricas, etc.

Se utilizan agujas filiformes de 1 a 1,5 pulgadas, y frecuentemente se asocian aparatos de estimulación eléctrica a las agujas. Puede sustituirse la estimulación del acupunto por estimulación láser, estimuladores frecuenciales o magnéticos adecuados.

Puede complementarse con Aurículopuntura o Craneopuntura. Se realizan sesiones en bloques de 5 a 20 sesiones con una frecuencia mínima semanal, evaluando el estado de la enfermedad o sus síntomas al finalizar todas las sesiones programadas, de igual manera que sucede con las sesiones de rehabilitación.

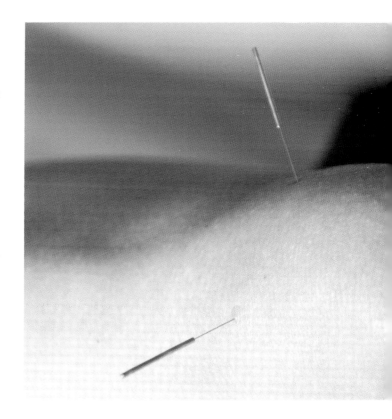

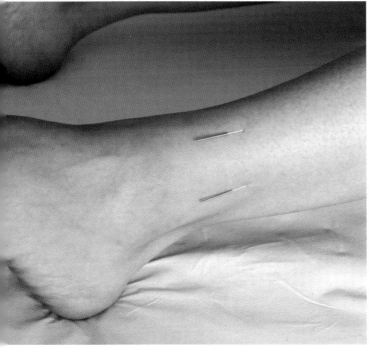

Acupuntura de muñecas y tobillos

Técnica en la que se utilizan agujas filiformes de 1, 5 pulgadas, en alguno de los doce puntos distribuidos alrededor de muñecas o tobillos. Es indolora, rápida en su acción, y muy efectiva para el tratamiento del dolor, la cicatrización, e incluso se han realizado estudios sobre el manejo de la infección y de los estados emocionales. **Muy efectiva en alteraciones de los nervios como parálisis o temblores**.

Se realizan sesiones de dos a cinco veces por semana de una hora de duración aproximadamente, con un mínimo de cinco sesiones. La mejoría debe experimentarse entre la primera y la quinta sesión para ser considerada una técnica de elección. Como suele suceder con muchas técnicas acupunturales, no esperamos una mejoría inmediata, que no recaiga, y progresiva hasta la curación o el estancamiento. Con frecuencia, es necesario acumular un mínimo de sesiones según el caso, para empezar a experimentar el paciente la mejoría.

Acupuntura japonesa y acupuntura coreana

Técnicas o escuelas de acupuntura que utilizan agujas finísimas en determinados puntos del cuerpo e incluso de la mano como microsistema (manopuntura coreana) para conseguir **efectos clínicos profundos y también de la constitución de la persona**.

Técnica de Akabane

Se utilizan microagujas finísimas de apenas 3 mm de longitud para insertar bajo la piel, paralelas a esta, apenas 1 mm de la aguja. Se fija con un esparadrapo y se mantiene por varios días en los puntos a tratar.

Es **muy efectiva para el dolor** en los puntos dolorosos a la palpación, por ejemplo en la rodilla, hombro, lumbares, cervicales. Se utiliza también como refuerzo de un tratamiento convencional llevado a cabo con cualquier otra técnica. También como equilibrio del flujo del Qi por el sistema de canales, evaluado previamente con lo que se conoce como Diagnóstico Akabane. Se realizan tratamientos entre una vez a la semana y una vez cada dos semanas según el caso. Totalmente indolora y fácil de aplicar.

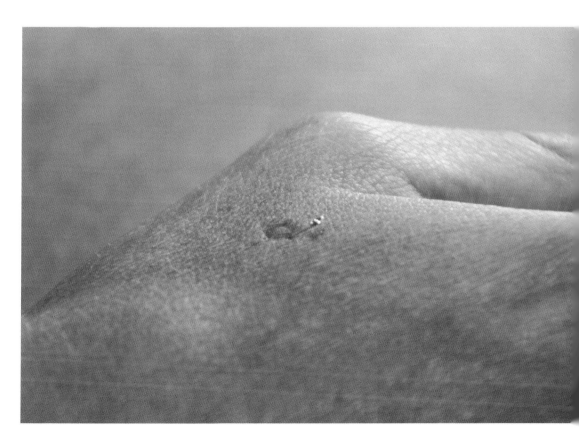

Auriculoterapia

Una de tantas terapias reflejas en acupuntura, como la Nasopuntura, Faciopuntura, Craneopuntura (y sus distintas escuelas), técnica abdominal «de la tortuga», técnica de los huesos largos, etc.

Se aplican agujas, imanes, o láser, con o sin corrientes eléctricas en los puntos seleccionados, con el fin de conseguir **analgesia (control del dolor), calmar el sistema nervioso**, o incluso actuar vía nerviosa directamente sobre alguna víscera, tejido o secreción

hormonal en el organismo. Muy efectiva, y dolorosa en muchos casos si se trata con agujas. Se aplican sesiones bisemanales o quincenales.

Láserpuntura

La láser-puntura consiste en estimular los puntos de acupuntura con luz láser.

El efecto dependerá mucho del tipo de láser, la intensidad y duración de la irradiación, y también de su indicación más o menos acertada.

Resulta muy eficaz para el tratamiento del organismo a través de zonas reflejas como puede ser la auriculoterapia, por citar un ejemplo. También puede utilizarse en puntos corporales, pero según la escuela de tratamiento que escojamos podría resultar totalmente ineficaz.

Normalmente requiere de mayor frecuencia de sesiones, es decir, un menor intervalo entre una sesión y otra, y también de mayor número de sesiones totales.

Aún y así resulta una buena técnica **para utilizar en personas que no desean ser pinchadas con agujas,** o en acupuntura veterinaria por ejemplo.

Auriculopuntura para el dolor de cadera con láser infrarojo

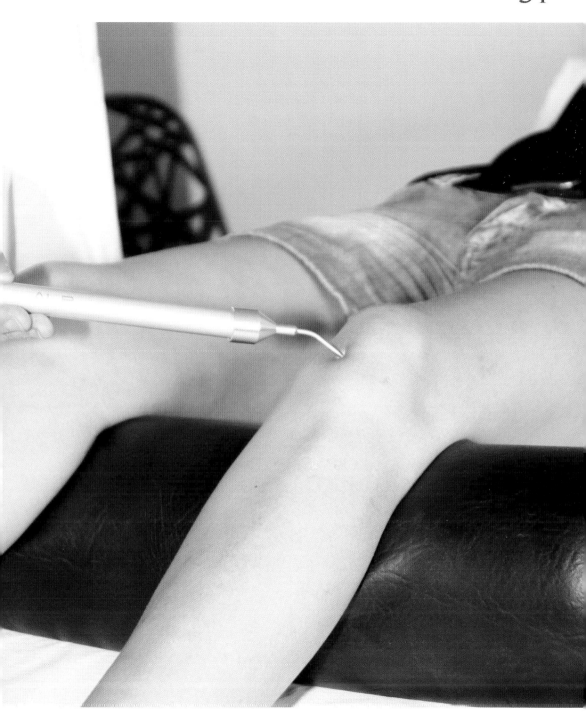

Acupuntura en dolor de rodilla con láser

Thermiepuntura

La puntura térmica tiene su origen
en la moxibustión directa. La
moxibustión es la combustión
de moxa, una planta con
propiedades medicinales y
con una onda calorífica de gran
penetración, lo cual hace que
al ser aplicada sobre el punto

Masaje con Thermie del estilo Ito®

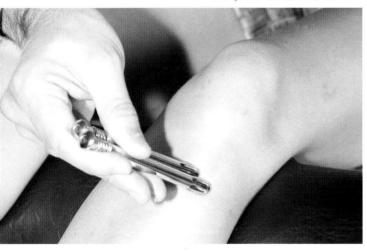

Estimulación de punto Zu San Li con calor
y plantas de ajo, jenjibre y artemisa

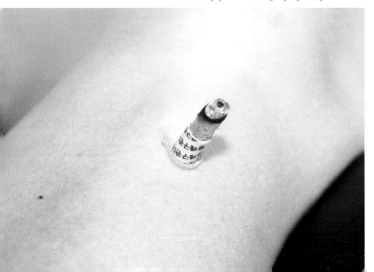

de acupuntura, lo estimule con
intensidad.

Las terapias térmicas han
evolucionado hoy en día, y además
de la moxibustión clásica podemos
encontrar tratamientos realizados
con unos utensilios del tamaño
de un bolígrafo, que en lugar de
tinta, por así decirlo, alojarían en
su interior una carga de plantas
prensadas que se calientan a muy
alta temperatura, y que permiten
aplicarla sobre los puntos del
cuerpo, los meridianos, y en general
realizando simultáneamente
maniobras de masaje por todo el
cuerpo si se desea.

Pueden realizarse tratamientos
muy concretos en puntos de
acupuntura, o como he comentado,
tratarse todo el cuerpo, tonificando
la fuerza vital general de todo
el organismo y deteniéndose
además sobre las zonas más
afectadas o los puntos deseados
a estimular. **Es muy agradable y
efectivo**. Los tratamientos suelen
ser más largos que una sesión de
acupuntura tradicional, y pueden
resultar más caros en consultas
privadas, pues demanda del
profesional una gran dedicación
de tiempo ininterrumpido con el
paciente, y según el material a
utilizar, puede resultar un costo
importante para el profesional que
sin duda se verá reflejado en la
factura final.

Digitopuntura

La Digitopuntura consiste en la estimulación de los puntos de acupuntura a través del masaje con los dedos en dichos puntos.

Puede acompañarse de fricciones más o menos profundas a lo largo de los meridianos y zonas afectadas, y se tratan además los mismos puntos que se utilizarían para pinchar con aguja tradicional.

Puede ser útil para indicar al paciente un refuerzo de **auto-tratamiento en casa**, señalándole los puntos más importantes y que los estimule en casa o cada vez que lo necesite.

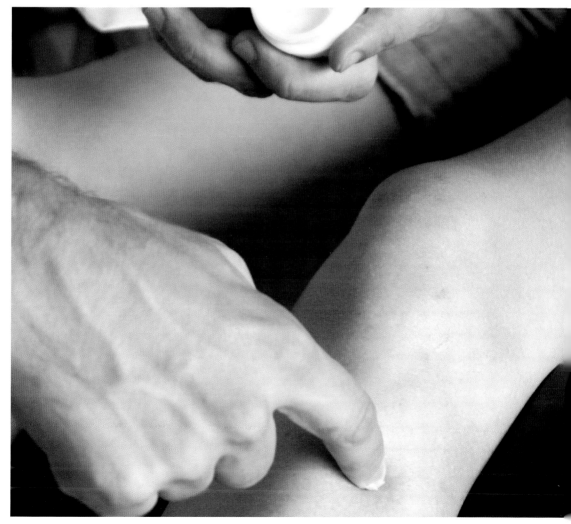

Estimulación de puntos con masaje y bálsamos antirreumáticos

Otras técnicas

Otras técnicas menos conocidas pero que también pueden encontrarse en nuestro país son la Cromopuntura o estimulación con color, la Electroacupuntura, la Sonopuntura o estimulación con ondas vibratorias o la Terapia Frecuencial.

Estimulación del punto Hegu mediante luz de color

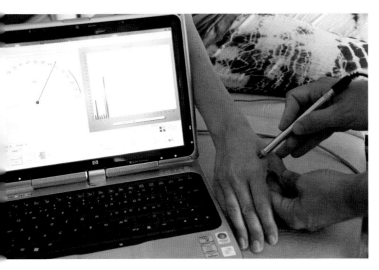

Es importante, cuanto más nos apartamos de las técnicas clásicas reconocidas por universidades donde se imparten estos estudios de forma oficial (China, Japón, Corea, Cuba, Gales, Alemania, algunos estados de EE.UU., etc.), que escojamos un buen profesional. Pues estas técnicas, cuyos resultados podrían ser más sutiles en algunos casos, llevan al paciente a sugestionarse con facilidad y a caer en manos de pseudo-profesionales que, con conciencia o no, realizan tratamientos inútiles sin ninguna base más que «lo que se les ocurre» hacer y «creen» que les funciona. Es importante conocer el alcance real del tratamiento, y quién lo está llevando a cabo. Para ello hemos dedicado un apartado en este libro.

Existen más técnicas y escuelas de tratamiento, que como ya he apuntado resulta casi imposible describirlas todas ni siquiera a modo de resumen, ni conocerlas todas con detalle debido a la gran extensión de practicantes profesionales de este arte curativo hoy en día. No por omitirlas en este capítulo son menos efectivas que las aquí expuestas. Sin embargo creo que he descrito al paciente lo más habitual y frecuente que puede encontrar en nuestro país a día de hoy.

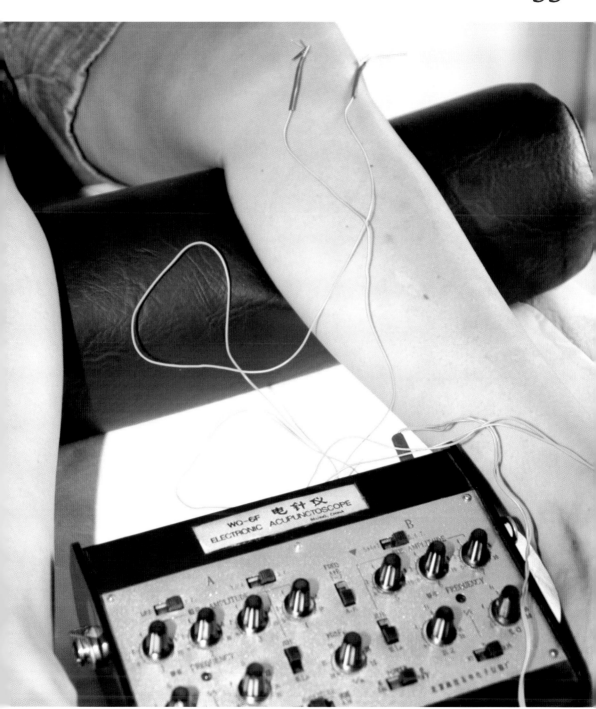

Tratamiento de lesión de rodilla con Electroacupuntura

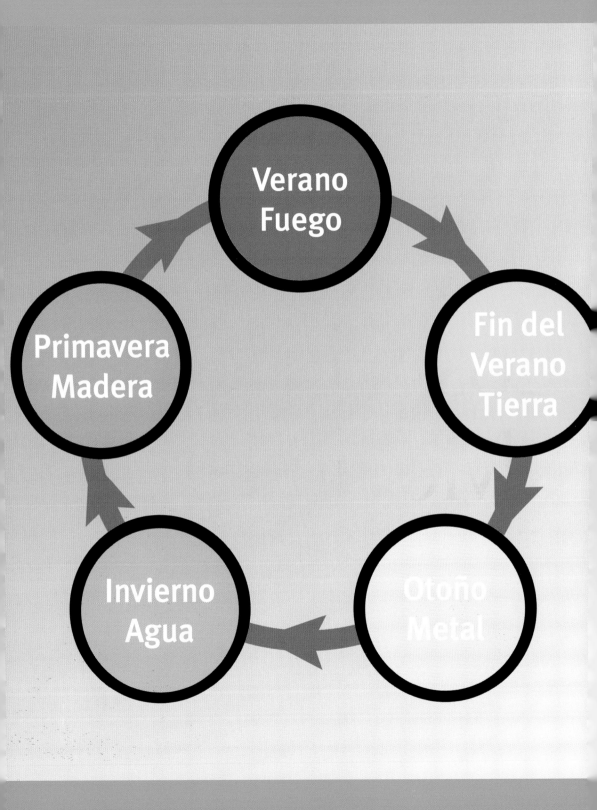

Los Cinco Movimientos

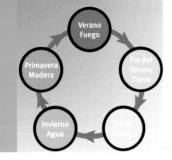

Teoría de los Cinco Movimientos o Fases

Símbolo Qi

La teoría de los cinco movimientos o cinco fases, habitualmente mal traducida como «Cinco Elementos», nos relata una historia. Una historia real, de la vida y la muerte, la Naturaleza y sus fases. Una comprensión más allá de la simple teoría académica. Una vivencia real del Ser Humano, como parte íntegra de esta naturaleza.

La Medicina, a lo largo de la historia se ha ido definiendo y adaptando al contexto social en el que se ha encontrado, a sus corrientes filosóficas y de pensamiento, a la experiencia acumulada en el pasado inmediato como sustento e impulso, frecuentemente, de un nuevo y más florido presente. Esto no es extraño a la Medicina Tradicional China o, podríamos decir, a toda una sociedad que durante un período muy importante de su historia, consideró al Ser Humano parecido sino igual al entorno en el que se desarrollaba. Y de esta manera se entendieron la salud y la enfermedad, entre otras muchas otras cosas.

Probablemente parte de este conocimiento llegara a Grecia posteriormente, encontrando posturas muy parecidas en el pensamiento médico de la época,

pero esto daría para otro libro, y que ya otros han publicado con acierto y conocimiento.

Tratándose de una teoría tan importante, tal que ha perdurado hasta hoy día actualizada en la teoría de la diferenciación de síndromes, y utilizada desde el concepto clásico por escuelas anglosajonas y japonesas de gran prestigio internacional, me veo en el inmenso honor de resumir dicha teoría para el lector más clásico, e interesado por la interrelación de lo físico-emocional-espiritual. Piense el lector que este capítulo nos daría para escribir no un libro sino varios.

Conceptos introductorios

▸ Qi: el Qi es lo que también se ha tan mal traducido como «energía», y que por ello ha confundido a físicos y científicos al preguntar «¿qué energía es esa?»

No es energía si atendemos al ideograma chino (un ideograma es la forma en que se escribe el idioma chino, entre otros). En lugar de describir algo con una palabra, realizan un símbolo o dibujo que manifiesta una idea. Por ejemplo el dibujo de un sol, nos daría la idea de sol, luz, día, calor... pero también según la sociedad y época, este dibujo podría ser interpretado y traducido por tanto también como Dios Sol y por tanto lo espiritual (ejemplo de los egipcios). Así, la traducción del idioma chino no puede realizarse de forma literal jamás. Deben tenerse en cuenta muchos conceptos de la época en la que fue escrito, para saber qué es lo que nos querían transmitir con estos símbolos, y avanzar con su significado hasta el día de hoy. Entonces traducir teniendo en cuenta lo que nosotros vamos a comprender. Por eso se ha traducido rápido y mal como «energía».

El concepto del Qi manifiesta la siguiente idea: aquello que, proveniente del Cielo, da cualidad y define toda existencia sobre la tierra, dividiéndose en diferentes cualidades. Es decir, el Qi es una fuerza que provoca que aparezcan la temperatura, el día y la noche, los colores, el movimiento de uno u otro tipo, los sabores, los seres vivos e inanimados... Es decir, el Qi está en todas partes, lo diferencia todo, lo hace único y exclusivo, pero tiene todo algo en común y es que contiene una parte de cielo: «todos somos uno».

El color rojo por ejemplo, es rojo porque su Qi le da esa característica. Nosotros somos altos o bajos, fuertes o menos fuertes porque nuestro Qi nos da unas características u otras.

El yang es un tipo de Qi más activo y cálido, explosivo, comparado con el yin, más frío y frenado, implosivo. Así tenemos el verano que tiene un tipo de Qi más cálido, y el invierno que tiene un tipo de Qi más frío.

Además, el propósito del Cielo es que este Qi despierte nuestro recuerdo de lo que hemos venido a hacer a la tierra, y lo llevemos a cabo. Para ello, nuestra visión interior que nos lo permitirá ver debe estar libre de obstáculos.

Cada vez que el Qi se bloquea o se pierde parte de él (acumulamos Qi a través del Qi del oxígeno y del Qi de los alimentos y por eso vivimos), nos debilitamos y nos apartamos de nuestro camino, pues no vemos qué hemos de hacer.

Todo esto se relaciona con la salud y la enfermedad, de la siguiente manera: si el Qi de nuestro cuerpo circula bien y es abundante, estamos sanos y felices, ayudando también a otros a estarlo (el Qi es un concepto vaporoso, que nos atraviesa, viene del cielo, está con nosotros pero atraviesa los «poros» y contagia a nuestro entorno, para bien o para mal. De ahí el mal ambiente que uno puede transmitir a otros con su presencia, o lo bien que

El Qi es un concepto vaporoso que nos atraviesa, viene del cielo, está con nosotros y contagia a nuestro entorno

nos sentimos ante determinadas personas. De ahí que la relación médico paciente, dependa de la relación del Qi de ambos, pues cuanto mejor esté el médico, más contagiará a su paciente en calidad positiva llevándolo a la curación más fácilmente).

Cuando uno se ocupa de su armonía interior (y puede realizar esto observando la Naturaleza, como veremos), causa harmonía exterior y viceversa, el entorno harmónico reajusta sus cinco fases internas y le ayuda a sanar (conceptos base del Feng Shui).

El Qi Gong y el Tai Chi nos ayudan a sanar de esta manera, y es importante que la práctica sea diaria y además se lleven los cambios internos al exterior, no realizándolos como una simple gimnasia o moda. También las artes marciales beben de este concepto. Veremos que muchas artes marciales sobreexplotan tanto el aspecto violento, rígido, de destrucción o competitividad, que provocan una desarmonía interior y por tanto exterior. Te alejan de tu camino verdadero. Otras sin embargo fluyen en harmonía con la naturaleza, fluyen con tu oponente, se complementan con él y a través de él, y crecen en conjunto, contagiando al entorno.

Artes como el Aikido o el KungFu, por citar unas, según el maestro que las enseñe, pueden ayudarnos a avanzar en la armonización interior.

Veamos ahora cómo el Qi del cielo configura las Cinco Fases de cambio de Qi en las épocas del año, y qué es lo que esto tiene que ver con nosotros.

Movimiento de la Primavera. Elemento de la Madera

Cuando vivimos en la ciudad nos cuesta cada vez más diferenciar entre los rasgos característicos de una estación del año respecto a los de otra. Ahora vamos a abstraernos y trasladarnos a la observación de la primavera en su entorno natural. Qué es lo que se da en esta época del año, y cómo se da. Es decir, cuál es la cualidad común a los procesos impulsados por la primavera. Sabremos así cuál es la cualidad, y por tanto el tipo de Qi imperante, y por tanto una parte de nosotros mismos, que se ve afectada por su entorno, y que de hecho, no es tan diferente. El Ser Humano también es parte de la Naturaleza, es un elemento más.

Venimos del invierno, un período de quietud, de ausencia palpable de vida (flores o animales se retraen, se ponen a cubierto), todo está ralentizado. Y de repente, los primeros rayos de sol, como aquella luz que entra por la ventana al amanecer para despertarnos (idílicamente por supuesto) aportan calor y luminosidad.

Activan lo dormido. Esa activación provoca el despertar a la nueva vida (al nuevo día laboral en nuestro ejemplo idílico). El entorno natural, con la llegada de la calidez del sol primaveral, el deshielo de las aguas, el saludo del sol, las semillas latentes bajo la tierra mostrando su fuerza y su intención de llegarse a convertir en hermosas flores o árboles frutales, los primeros brotes nacientes, la puesta en marcha de nuevo de la fauna, los poblados que vuelven a la vida tras el retiro invernal. Siempre ha sido así para vivir en armonía con el entorno, el hombre lo supo siempre.

Continuando con nuestra semilla: si la observamos crecer, lleva en su interior un sueño de futuro realista y bien definido. Convertirse en árbol, en manzano por ejemplo, o en trigo. Llevar a cabo su cualidad única en la tierra, ser lo que estaba previsto ser, y dirigirse a su objetivo. Con una gran fuerza que es capaz de atravesar la tierra, rodeando piedras y raíces, faltas o excesos de aguas temporales, adaptándose para conseguir su plan. Nacer, emerger a la superficie (como el nacimiento de un bebé, que se adapta y lucha con fuerza para salir, al mundo

exterior, para cumplir un plan, que deberá descubrir...). Esta planta tiene un propósito, tiene fuerza ascendente, mucha fuerza, y es capaz de adaptarse para conseguir su objetivo. Con miras al futuro, con ímpetu vigoroso como el tallo del bambú, fuerte y flexible.

La analogía en el Ser Humano es sencilla de comprender: aquellos procesos nacientes, ascendentes, la fuerza, los músculos, los tendones, que permiten el movimiento para dirigirse a algún objetivo, la coordinación muscular, la vista de un objetivo, la vista, la planificación de objetivos, la capacidad adaptativa, la apertura (de flores), la vigorosidad, la explosión de fuerza emocional ascendente como son la ira y el grito.

El exceso, bloqueo o insuficiencia de estas cualidades arruinaría la Naturaleza, y también nuestra salud. Un exceso de rigidez, «que las cosas sean como tengo previsto a vida o muerte», sin capacidad de adaptarse suficientemente, ver un objetivo con claridad y moverse en esa dirección con la paciencia suficiente. Movimiento rápido: las personas que no paran, siempre tras un objetivo y otro, sin pararse a disfrutar de los frutos conseguidos, tienen bloqueado este elemento.

O por el contrario, no tener claras las cosas y no avanzar, como manifestación de insuficiencia. El

Símbolo Madera

exceso de manifestación de ira o en lugar de explosionar, implosionar, tragando nuestra propia rabia, o incluso estando ausente para defendernos en momentos que fueran necesarios. Si se bloquea la salida de la rabia o en definitiva del propósito, de cualquier objetivo planificado, aparecen frustración y resentimiento. Esta rabia, para pertenecer al elemento madera ha de ser ruidosa, vigorosa y con fuerza. De otra manera, no sería rabia de la Madera.

La rabia controlada (por educación por ejemplo) no sale al exterior, es un bloqueo. La rabia descontrolada que no tiene en cuenta lo que se encuentra delante para adaptarse y escoger una buena salida. Gritarle al jefe por ejemplo podría no estar teniendo en cuenta la visión de futuro de ser despedido, es un exceso que hay que regular.

Exceso de nacimiento celular por ejemplo, de calor ascendente en la cara, de tics, de algo que sube y explota en la cabeza como una migraña, las alergias y sus estornudos rabiosos, picores de piel, etc. Esta cualidad en el ser humano bloqueada es igual a este Qi de la primavera bloqueado en el ser humano, y por tanto las cualidades físicas, emocionales-mentales y espirituales (ver un sentido de vida o en una relación, y avanzar hacia él) se van a detener. Podemos desbloquear este movimiento con nuestro tratamiento y por supuesto, con nuestra actitud.

A nivel mental la organización coherente de ideas, la transmisión clara de estas como equilibrio. Mente inundada de ideas cambiantes, sin objetivos ni estructura aparente durante el suficiente tiempo. Falta de claridad mental, no se les entiende de qué hablan, o qué pretenden comunicarnos, a dónde quieren llegar, como manifestación de desequilibrio de la primavera en el hombre.

Se conoce a la primavera como el movimiento simbolizado por la madera (ahora sí, elemento madera). Porque la madera de los árboles asciende con fuerza en el crecimiento durante la primavera, y así se escoge como símbolo para esta estación del año.

Palabras clave de la Madera

- Crecimiento ordenado, con un propósito definido y la flexibilidad.
- Planificación flexible.
- Grito.
- Visión y esperanza.
- Ojos, tendones, músculos, fascias, uñas.
- Movimiento ascendente y hacia delante.
- Rabia explosiva, ascendente.
- Mente clara.
- Nacimiento, crecimiento.

▸ Motivación para llevar a cabo un plan, con visión clara de futuro.

▸ Órganos reproductores, hígado, vesícula biliar.

▸ Comunicación clara.

Movimiento del Verano. Elemento Fuego

El crecimiento disminuye su velocidad y da lugar al florecimiento de las plantas y a la maduración de las cosechas. Las plantas en lugar de crecer a lo alto, se extienden, las flores se abren por completo mostrando su interior y florecen hacia el sol. Los días son más largos y todo en la naturaleza que creció durante la primavera alcanza la madurez con el calor del verano. Es el cenit del año, los colores alcanzan el máximo de brillo y calidez. Invita a la diversión y el disfrute (imaginemos a un niño corriendo entre las flores de mil colores, abiertas y perfumadas, y cómo esto le hace disfrutar y reir). Son expresiones del elemento fuego en la naturaleza. El fuego por el calor intenso, el sol. Hay abundancia de maravillosos colores, sonidos, olores y sabores que hacen imposible no disfrutar de ellos y sentirse feliz. Las horas de sol permiten abordar la jornada laboral, y que aún nos quede tiempo para disfrutar y quedar con los amigos y compartir los largos atardeceres. La calidez se extiende

Símbolo Fuego

a nuestras relaciones. Estamos más abiertos y relajados. Nuestro amor por la vida y hacia los demás encuentra la mayor expresión en los meses calurosos del verano. En la base de todo esto está el amor que el elemento fuego esparce sobre todas las cosas. Permea toda las partes de nuestro cuerpo, mente y espíritu, y ayuda a que todo fluya a todos los niveles. El cuerpo físico funciona mejor cuando está cálido. Mentalmente, el intercambio de ideas y sentimientos entre nosotros es mayor cuando estamos cálidos y relajados, y el corazón está presente.

De la misma manera que la madera da un sentido interno y dirección, un objetivo, el calor del fuego se da en la medida adecuada y con los límites adecuados. Si no estuviera controlado, el mismo amor y calor que alimenta todo podría resecar y destruir la vida. Basta pensar en los efectos de un verano demasiado largo, excesivamente caluroso, y los efectos sobre la naturaleza, el físico, la mente, las emociones... un amor excesivo, incesante, una alegría desmedida y continuada: locura.

Las plantas necesitan la medida justa de calor y luz, ni demasiado ni demasiado poco. Los límites pues son necesarios. El verano es el futuro hecho presente: planeado en la primavera, hecho realidad en el verano, donde se ve cumplida

nuestra inversión de esperanzas.
Verano es presente. Brillo.
Ligereza de espíritu y sentimiento
de libertad. La energía que
obtengamos de aquí nos calentara
el resto del año (físicamente,
emocionalmente, mentalmente:
diversión, vacaciones, amor. Por
ejemplo, la época más cálida y
amorosa en una relación sirve de
calor para los momentos más fríos
en los años difíciles, como reservas
para pasar los inviernos de pareja).

La calidez alimenta nuestras
relaciones y nos permite sentirnos
uno con los demás y con nuestro
entorno. Estamos tan felices
abiertos y relajados que nos
sentimos unidos hasta con los que
pasan por la calle, dejando atrás
todos los condicionamientos y
prejuicios y alcanzando el corazón
de todos. El niño, que todavía no
ha acumulado resentimientos por
la vida y el humano (lo veremos en
el otoño bloqueado), disfruta, se
abre y comparte. Ver a un niño feliz
y radiante es un reflejo de nuestro
verano con frecuencia olvidado.
Y en otros casos, cuántas veces
perseguimos disfrutar como sea y
sin cesar, y nos rebelamos ante otras
épocas que no sean veraniegas.

Cuántas veces exigimos a la vida, a
nuestra pareja, a nuestro trabajo,
que haya un contínuo de alegría,
amor y satisfacción brillante.
Cuántas veces damos amor y calidez

sin pausa, hasta emborrachar al
otro. Y cuántas veces nos negamos
a recibir estos regalos del Qi
amoroso del cielo. El Qi equilibrado
del elemento fuego.

Se manifiesta el fuego en exceso
con: sed, sequedad, disminución

de fluidos, aumento de tensión arterial, palpitaciones, sudores... (sistemas de alarma de una máquina cuando se sobrecalienta), inflamaciones agudas o sequedad en articulaciones que se cronifican.

Aparece la excitación que hace hablar y pensar más rápido. Lo podemos percibir en los finales de fiestas cuando de repente las voces se vuelven más altas, rápidas y excitadas. Se roza la histeria en todo el contexto. Si el fuego está descontrolado habrá demasiado calor en el sistema, en la cara y el cuerpo, al explotar en la piel el fuego atrapado dentro.

El calor en la naturaleza acelera los procesos y causa expansión. De esta manera un fuego excesivo puede contribuir a la aceleración de cualquier proceso fisiológico, y se puede manifestar en un pulso rápido, comer demasiado rápido, o cualquier proceso que está sucediendo a una velocidad más rápida de lo fisiológicamente normal.

El calor atrapado en el corazón puede correlacionarse con deseos no expresados. En un intento de disipar este calor el corazón puede estar sobrefuncionando, contribuyendo por ejemplo a un exceso de tensión arterial. Esta expansión en la vida puede presentarse también como una falta de límites en las relaciones. Una

insuficiencia de fuego en el cuerpo humano puede manifestarse por:

▸ Mente perezosa, voz sin vida ni chispa, persona pálida e inexpresiva, y sin inspiración. Las palabras y las ideas llegan lentamente y puede hacer que incluso las más excitantes novedades suenen verdaderamente aburridas.
▸ Apatía. Risa versus falta de risa, disfrute versus falta de disfrute.
▸ Cuerpo frío por falta de calor o algunas partes de él, tal como pies o manos. Cuando el sol no brilla durante suficiente tiempo, el frío predomina y en los procesos fisiológicos empieza el enlentecimiento y la contracción.
▸ Pulso lento, mala digestión reflejando la incapacidad del estómago de digerir la comida, o la lentitud del pensamiento. Inhabilidad de mantener relaciones ya que el fuego personal está retirado en un intento de protegerse del dolor del rechazo.

Un fuego en buen estado enciende e ilumina la mente con entusiasmo. Representa la cima de la vida en logros, agudeza, mente clara y memoria. Consecución de los objetivos y dejárselos disfrutar por suficiente tiempo.

Palabras clave del elemento Fuego

▸ Diversión, disfrute, risas.
▸ Calidez, amor, intimidad, apertura.

- Fluidez.
- Presente, logro del objetivo.
- Comprensión.
- Brillo.
- Sangre, corazón, lengua.

mala digestión, lenta o con reflujos. También una digestión de las ideas, proyectos, emociones, sucesos que nos pasen en la vida. Ser capaz de digerir lo que nos tragamos y

Movimiento de la Quinta Estación. Elemento Tierra

Necesitamos un elemento que no sea una estación de por sí, sino un momento de transición, de nutrición que nos recupera y alimenta para seguir con el ciclo.

Todas las estaciones del año tienen momentos así, y también al final del verano parece predominar, pues es una época que pasa del compartir y disfrutar y reír, a sentirse nutrido por esta estación del verano, del fuego, con un almacén de energía lista para afrontar el otoño, el nuevo curso, el nuevo año laboral... La madre que provee de alimento emocional y afectivo al niño. Este amor maternal es la base de un espíritu seguro y nutrido, la seguridad de sentirse apoyado en la vida.

La tierra sobre la que vivimos es en este sentido también nuestra madre, nos sostiene y nos alimenta. La nutrición, el acto de comer, la digestión, el estómago. Una alteración a este nivel nos dará problemas con alimentos tales como alergias o intolerancias. Una

Símbolo Tierra

también de escoger lo que nos tragamos y lo que no queremos porque no nos va a sentar bien. Los límites correctos para rechazar algo: no quiero esto, que me sienta mal. Sea un nutriente, sea una relación, un comentario, etc.

Cuando tenemos una buena cosecha tenemos la seguridad de poder sobrevivir a los meses de invierno hasta que el crecimiento empiece de nuevo en la primavera. Cosecha y calor como reservas (curiosamente en occidente nos empeñamos en enfriar el cuerpo con helados y aires acondicionados en verano, dejando sin reservas al cuerpo para el siguiente ciclo).

Si estamos bien nutridos, vamos a tener un buen relleno de carne saludable. La carne muscular incluso, pero no en su función motriz, sino en su relleno, en su estructura, en su solidez, la grasa, con suficientes reservas para aislarnos del frío y reservas de energía suficientes para casos de emergencia.

La obesidad y la delgadez nos hablan de una falta de límites o límites muy estrictos, un exceso o déficit de madre (vivencia de madres muy protectoras y excesivamente nutritivas que empachan al niño con comida, o con emociones, o por el contrario que aportan menos de lo que el niño necesita para sentirse seguro y protegido.

Con el elemento tierra (la tierra simboliza la quinta estación por lo que ya hemos comentado) en deficiencia: la persona necesita que se le repitan las cosas varias veces. No por falta de entendimiento, sino por embotamiento, por estar lleno de otras cosas no digeridas. Bloqueo mental. Apoyo justo.

También la tierra en exceso es perjudicial. La Naturaleza no nos da cosechas continuamente. Es necesario descansar y recuperarse para las plantaciones venideras, para nuevos crecimientos. Cuando una tierra ofrece una cosecha sin parar, la cosecha se irá debilitando hasta vaciarse. Un ejemplo serían las personas que se sobrecuidan.

El bloqueo de este elemento es como perder la tierra que te provee alimento, o perder a la madre. Es devastador: agitación y confusión como un niño que ha perdido a su madre.

Palabras clave del elemento Tierra

▸ Boca, carne.
▸ Apoyo y cuidado justos, nutrición, asimilación y digestión.
▸ Dulzura, dulce.
▸ Límites correctos, ayuda justa.

Movimiento del Otoño. Elemento Metal

Es esta sin lugar a duda una época de declive y muerte. La caída, el descenso. Árboles y plantas muestran ya sus últimos colores, el último respiro antes del «final», para acabar cayendo hacia la tierra (las hojas caen, el calor declina, la luz desciende...). Todo en la naturaleza ya es «dejar marchar», dejarse caer. Dejar ir la plenitud. Todo se torna más tranquilo y lento.

En lugar de crecimiento tenemos muerte; en lugar de movimiento ascendente tenemos movimiento descendente; en lugar de actividad vigorosa tenemos quietud en aumento.

El elemento que lo simboliza es el metal. Debido a los metales preciosos que hay bajo la tierra, tan preciosos que nos hablan de nuestra espiritualidad brillante bajo tierra, esperando ser vista, tenida en cuenta, aceptada para manifestar su esplendor en la tierra.

El otoño no tiene que ver simplemente con morir y descomponerse, con una destrucción simple y sin sentido. Según caen los frutos y las hojas a la tierra, los nutrientes y virtudes que llevan consigo regresarán al suelo y lo enriquecerán, para abonar el crecimiento de la futura temporada.

Es un morir para renacer, es un caer y un dejar ir para tomar nuevos impulsos. Los nuevos avances dependerán de este enriquecimiento, o en caso contrario, el siguiente ciclo sería pobre.

Tal como el metal deja ese hueco al eliminar lo caduco, así permite que nuevo material vaya a ocupar el espacio; este nuevo material que viene del cielo a sembrarse y a desarrollarse en este espacio dejado. Esta nutrición de la tierra se realiza a través de la putrefacción, eliminándose aquello no útil del ciclo anterior (de la cosecha obtenida). Y a través también de los nutrientes que van de vuelta al terreno como abono.

En el plano más espiritual tenemos la sabiduría, dada por las experiencias de cada ciclo. Desecho de lo que no nos ha sido útil, y aprovechamiento de las lecciones recibidas, aunque fueran dolorosas. Dejar ir el dolor, el resentimiento, para quedarse con la lección positiva que nos ayudará a evolucionar con más fuerza y conocimiento en el siguiente ciclo. Si retenemos algo, contaminará y bloqueará todo posterior crecimiento. Por ejemplo la amargura de una mala relación nos deja huella y nos pudre las futuras relaciones porque nos recuerda lo malo del pasado.

Símbolo Metal

La limpieza total y la lección positiva que nos ofrece el pasado, nos deja reforzados y optimistas para avanzar a través de obstáculos similares en el futuro.

La tierra por sí sola se agotaría con el tiempo y no podría nutrirnos más. Necesita realimentarse con el tiempo de lecciones, alimentos desechados pero útiles y puros en esencia.

Es este el elemento de la calidad. Aporta calidad a cada uno de los elementos. Es el que da chispa, calor, sensación de haber algo más ahí, las ascuas que encienden el fuego incluso en los tiempos más oscuros. El núcleo de la tierra, los metales y minerales incandescentes bajo tierra. Es lo que hacen pulmón e intestino grueso. Dejar salir el aire viciado no necesario (CO_2) y los alimentos no útiles (heces). Problemas respiratorios, de acidez metebólica, del intestino grueso, estreñimiento por ejemplo. No dejar salir del todo parte de lo comido aunque no nos sea útil.

Una insuficiencia del metal se puede relacionar con el resentimiento, aflicción, melancolía, desprecio por la pérdida en la muerte. Sensación de pérdida de guía y vacío interior, fanatismo espiritual o búsqueda obsesiva de gurús o terapias que aporten guía o sentido, obsesión con guías espirituales y ángeles con los que se manifiesta estar en contacto y que además acostumbran a comentárnoslo en seguida que pueden, para mostrar que su esencia pura sí que está con ellos, sí que son espirituales y válidos. Devaluación hacia uno mismo y lo que uno hace, negatividad, sentirse inútil. Personas desaliñadas, sucias.

En el otro extremo como exceso: extremadamente limpios y pulcros al extremo, como fachada lujosa y ostentosa, para compensar la suciedad y el vacío interno que subyace en lo más profundo. Búsqueda obsesiva de salud material, joyas, imagen de poderío, de ostentar. Meticulosos y con fastidiosa atención al detalle en todo lo que hacen, casi como si quisieran recrear esa pureza de la esencia que buscan. Ellos mismos parecen como joyas falsas: frías, rígidas, inertes y quebradizas, frágiles. La piel también elimina toxinas. Metal: problemas de piel. La piel en definitiva no parece sana.

Palabras clave del elemento Metal

▸ Nariz, pelo corporal, piel.
▸ Dejar ir.
▸ Esencia espiritual, permitirse «caer», autoestima, fe, respeto, guía.
▸ Podredumbre, impurezas como fuente de cambio.

Movimiento del invierno. Elemento Agua

Las nieves y lluvias del invierno acabarán de limpiar los últimos restos de putrefacción y desecho; representa un período de gran limpieza. En el invierno todo está claro y pelado. Limpia todo y lo deja listo para el siguiente inicio de ciclo. Todo parece quieto, frío y sin vida. No obstante, no es que no haya vida, pues las semillas y los animales hibernan, permanecen enlentecidos esperando a la primavera.

De ahí el símbolo del agua para esta fase. El agua que lleva a cabo su limpieza profunda, las aguas del invierno que lo arrastran todo para dejarlo impoluto para el siguiente ciclo.

El milagro del invierno es que plantas y animales crecen y sobreviven bajo esta dura superficie, y de esta manera nos muestra la cualidad del elemento: la resistencia de las reservas. La habilidad de sobrevivir a esta época dependerá de estas reservas. Estas sin embargo no bastarán. Se necesita además de la voluntad y determinación de apreciar lo que esta estación del año dará paso: la próxima primavera, con su crecimiento renovado. El deseo y la voluntad de vivir y sobrevivir son los medios por los cuales se atraviesa el invierno, y el ímpetu por la llegada del nuevo crecimiento nos motiva a resistir. La paz que aguarda, en silencio, con confianza, sabiendo que llegará el nuevo calor.

No es sin embargo, una fe ciega: venimos del ciclo anterior, con unas lecciones, unos frutos recolectados que nos han bien servido, el recuerdo de haber pasado ya por esto.

A menos que protejamos y mantengamos nuestras reservas durante el invierno, no habrá nuevo crecimiento en primavera, ni cosechas. Esta es la peor expectativa de todas: no tener una nueva cosecha. Podemos entender así la emoción del miedo que está asociada a este elemento.

Las personas se pueden asustar por muchas cosas y de muchas maneras, pero el miedo del invierno es el peor miedo que se pueda tener: guerras, terremotos, fin del mundo, ruina económica. Es equiparable al hecho de quedarse sin reservas de agua para beber o sin comida, y sin esperanza de tener nada para plantar de nuevo, el fin total de las existencias, de nuestra resistencia, desesperación. Es el miedo asociado al agua. La lección es que deben gestionarse la reservas, hay que almacenar, tener en cuenta la muerte durante la vida, que vendrán ciclos duros cuando todo parece sol, pero que también tras las malas épocas vuelve a lucir el sol.

Es muy frecuente encontrarse pacientes con miedo y desconfianza que preguntan constantemente y en cada sesión: «¿Me voy a curar, verdad? ¿Saldré de esta, verdad?» Nos preguntan si hemos visto a otros como ellos o peor que ellos (suele encubrirse con la pregunta «¿seguro que no ha visto a nadie tan mal, verdad?») y si consiguieron salir adelante. Así tendrán la esperanza que ellos también lo conseguirán.

Palabras clave del elemento Agua: Reservar, fluidez, capacidad de limpieza, miedo, voluntad y determinación, quietud con vida oculta como potencial en espera. Resistencia, gestión de las reservas. Tiempo de recuperación. Interiorización. Deseo y voluntad de vivir.

Ciclo de los Cinco Movimientos

De aquí el ciclo de los Cinco Movimientos. En él podemos observar la continuidad e interrelación de todas sus fases. El reto es mantener un equilibrio entre todas ellas, pues la alteración de una afectará a las demás (mala cosecha afecta al invierno, invierno largo disminuye las reservas de energía, falta de momentos de regeneración agota también las reservas a largo plazo, etc.).

El tratamiento Taoísta en acupuntura va dirigido a evaluar el estado de cada movimiento en el cuerpo humano y a restablecer su natural harmonía. El movimiento alterado inicial, de base, sale a la luz como la constitución del individuo, y de aquí su tarea de vida, su fortaleza espiritual y su motivo de vida. Un concepto bello que llega hasta nuestros días para enriquecer el tratamiento clínico tradicional.

Símbolo Agua

Efectos y utilidades de la acupuntura

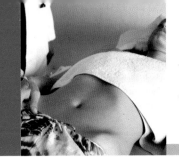

En qué casos es útil la acupuntura

¿En qué casos es útil la acupuntura? Esta pregunta deberíamos hacérnosla todos, no solo ante una disciplina como la acupuntura, sino ante cualquier tratamiento o técnica terapéutica, fuere cual fuere. Si decidimos someternos a un tratamiento, sea de medicina convencional o de las conocidas todavía a día de hoy como alternativas, complementarias, naturales, etc., lo primero que debemos hacer es estar informados.

Debemos tener el conocimiento posible sobre cada técnica y su alcance. Sus efectos secundarios si los hubiere, sus interacciones positivas o negativas en la confluencia con otras técnicas de tratamiento (véase la interacción de medicamentos químicos con la fitoterapia, o la eliminación de síntomas de dolor a través de la acupuntura). Cierto es que el médico o terapeuta debiera tener este conocimiento y traspasárnoslo como información ante nuestro requerimiento.

Sin embargo ya ha llegado el momento de ser más interdependientes. Ser nosotros los responsables de nuestra salud. Aceptar el sistema social en el

cual nos hayamos inmersos, que puede gustarnos más o menos, pero es útil para todos aceptarlo y además, o mientras, presentamos nuestras alegaciones al sistema y conseguimos que se adapte más o menos a nuestro ideal, y de hacernos responsables sanitariamente de nosotros mismos.

Esto significa que cuidar de nuestra salud y tratar nuestra enfermedad deberá ser tenido en cuenta por nosotros (y no solo por el médico, incomprendido por la población en este sentido con demasiada frecuencia) atendiendo al sistema social en el que nos encontramos. Es decir, aceptar el sistema sanitario tal cual es, no conformarnos si no nos parece idóneo. Reclamar nuestro derecho a escoger una técnica terapéutica, y aceptar las normas existentes y limitantes también en algunos casos.

Para entrar a reclamar nuestros derechos como pacientes, al entrar en contacto con cualquier técnica terapéutica para poder escoger o negarnos a un tratamiento, debemos en primer lugar responsabilizarnos de nuestra salud. Este hecho implica dejar de mal cuidarnos, echando la carga de recuperar nuestra forma óptima física, mental o espiritual a personas ajenas a nosotros mismos: médicos, terapeutas, psicólogos, líderes espirituales.

Sólo cada cual es responsable de sí mismo

Debemos por tanto formarnos en el conocimiento exhaustivo acerca del funcionamiento de nuestro organismo (cómo puede ser que empleemos tantas horas y esfuerzos en conocer el funcionamiento de ordenadores, la nueva tecnología, iy tan poco a al conocimiento de lo que llevamos encima! iNuestro vehículo! iNuestro cuerpo!).

Debemos conocer cómo nos afecta lo que comemos, lo que respiramos, nuestro trabajo, el sueño-descanso, el ruido excesivo, las discusiones, etc. Debemos conocer las bases del derecho, las normas ético-morales sobre las cuáles se asienta nuestra sociedad: país, ciudad, barrio, comunidad, familia. Entonces sí podemos y debemos conocer el alcance del sistema médico y «contratar» al profesional sanitario o para-sanitario con total libertad, conocimiento de causa, aceptación de responsabilidades, y reclamar con toda fuerza cuando nuestros derechos sean vulnerados.

Considero fundamental que toda persona aprenda a cuidar de

sí misma, y procuro transmitir estos principios fundamentales a mis alumnos de Medicina Tradicional China, en los talleres de crecimiento personal, en consulta a mis pacientes, y también a mi familia, por supuesto. No promover la dependencia más de lo estrictamente necesario. Promover la autonomía del sujeto, y responsabilizarlo a él. Ofrecerle alternativas para que él escoja si es posible. Aceptar que el paciente te pida que realices tú la elección si nace su demanda de la más sincera confianza, y del conocimiento del alcance posible para cada opción terapéutica.

Así pues, conocer los alcances de la acupuntura supone estar informado, en primer lugar, del consenso internacional acerca de la eficacia de esta técnica. En segundo lugar, del alcance que distintas escuelas o enfoques distintos de tratamiento acupunturales tienen para cada afectación particular. En tercer lugar supone conocer la formación y experiencia de la persona en la cual ponemos nuestro «vehículo» a reparar.

Imagínate por un momento que tienes el coche soñado por ti, o un lujoso yate, o un caballo adorado por ti desde su nacimiento en la granja en la cual vives... y ahora este coche, yate, caballo, se «averían», y tú sabes poco acerca de lo que le pasa. ¿Lo llevarías a cualquier sitio? ¿Creerías lo primero que te dijesen, la primera opinión que te ofreciesen? ¿Y si pierdes el tiempo y te lo estropean definitivamente...?

Tu cuerpo es el mejor y más preciado vehículo que puedes tener. No lo sometas a cualquier tratamiento, por cualquier persona, solamente porque te han dicho que... o parece que... ni siquiera porque es lo aceptado socialmente o porque es lo que todo el mundo hace. Los intereses farmacológicos también pueden manipular la información que le llega al médico.

Recordemos la polémica pandemia por la Gripe A por citar solo un ejemplo. ¿Entonces? Entonces aprende, fórmate al máximo y asume tú los riesgos. Pregunta a tu médico, al terapeuta, pide segundas opiniones, y recuerda que nunca, absolutamente nunca, hay nada seguro ni exacto en un tratamiento.

Nunca es seguro el resultado, de la misma forma que nunca estamos exentos de errores inevitables (sí, los errores son inevitables).

Esto es lo que pretendo aportarte a ti, lector, con este libro. Informarte, formarte, sobre las bases de la acupuntura. Ayudarte para que tengas criterio, motivarte a cuidar tu salud.

Los cursos que imparto sobre Medicina Tradicional China, están dirigidos a todo tipo de público, profesional o no, con este fin: conocer mejor nuestro cuerpo, aprender técnicas de autocuidado, conocer y respetar los límites en cada caso, respetar la base científica y sumergirnos en los conceptos más sutiles de este arte curativo.

Debemos saber lo siguiente: la definición que los profesionales damos a conceptos tales como *«la acupuntura es útil o va bien, para...»*. Pongamos el siguiente ejemplo: un paciente acude por un problema de acúfenos (el acúfeno es un pitido molesto en el oído, continuo o intermitente, de difícil solución en medicina occidental) a la consulta. Acude porque ha leído que la acupuntura es útil para esta afectación, siendo una de las pocas técnicas que parecen mostrarse eficaces en su tratamiento. Ahora vamos a posicionarnos desde el lado de nosotros los profesionales, y los estudiosos de la bioestadística. Nos encontramos ante un problema sin solución con métodos tradicionales y resulta que en países como China o Japón, obtienen una tasa de efectividad superior a la occidental, solo con acupuntura. Esto quiere decir, no que curen muchos acúfenos (esto es lo que creyó el paciente al acudir a la consulta), significa que algunos se curan solamente con acupuntura, y esto es ya de por sí espectacular. Que algunos mejoran algo aunque sea poco o por un período de tiempo equis. Y esto también resulta espectacular. Y probablemente una gran parte de los enfermos queden también sin solución. Los tratamientos quizá fueron diarios durante meses.

El resumen de todo esto es que la acupuntura resulta de efectividad en el tratamiento de acúfenos. Pues bien, es cierto. Pero el paciente tiene una información parcial que le lleva a error. El tratamiento puede ser largo, posiblemente inefectivo, quizá solo mejore parcialmente, y en algún caso puede ser que se cure para siempre.

Ya que esta enfermedad, el acúfeno, es muy difícil de solucionar, decimos que es útil la acupuntura. Pero ahora que el paciente tiene la información (información que no siempre se les proporciona en los cursos a los mismos acupuntores, y creen poderlo solucionar todo en un par de días, ¡fácilmente!), ahora el paciente escoge si quiere o no invertir tiempo y dinero en el intento de remediar su enfermedad. Quizá le valga la pena intentarlo, y quizá no.

Es fundamental saber qué esperamos en cada caso, y qué significa que una técnica funcione.

Vale decir que expertos en acúfenos y en técnicas especiales de acupuntura, como la acupuntura de Yamamoto por ejemplo, obtienen resultados excelentes en el tratamiento de los acúfenos, pero no todos los acupuntores dominan esta técnica. Y esto pasa con muchas enfermedades, que existen técnicas especiales, y especialistas, y debemos saber si esta técnica o técnico existe en nuestra ciudad, país, etc.

La OMS (Organización Mundial de la Salud) ha identificado más de 40 padecimientos que pueden ser tratados efectivamente con acupuntura.

Basándome en mi conocimiento y experiencia listaré los tratamientos más efectivos, recordando que es el médico el que realiza el diagnóstico y seguimiento de la enfermedad, que no debemos abandonar el tratamiento que nos recomiende, ni alargar la cita prevista por el mismo en ningún caso. De lo contrario, podríamos poner en riesgo grave nuestra salud, cualquier síntoma puede ser la alarma de algo grave o urgente. Es por ello que he decidido no aportar recetas rápidas de auto-tratamiento para el lector, que sin embargo sí podrían ser abordadas en otro libro dedicado en profundidad a la digitopuntura por ejemplo.

Tratamientos más efectivos

▶ **Adicciones.**

La acupuntura es muy utilizada para ayudar en procesos de deshabituación. Entre una y muchas sesiones son necesarias. Ayuda mucho a superar la adicción física. La persona poco motivada o con falta de voluntad habitual no suele conseguir ningún resultado a medio plazo. La persona que por sí sola podría dejarlo pero, con gran esfuerzo y dificultad, consigue de esta manera realizarlo de manera sencilla.

▶ **Alergias.**

Los síntomas alérgicos respiratorios y dérmicos responden muy bien, pudiendo eliminarse por completo en todos los casos. Recomiendo combinarlo con la aplicación de ventosas, dieta temporalmente, homeopatía o fitoterapia. Se realizan sesiones semanales durante ciclos de 10 a 20 sesiones una o dos veces al año. Algunos casos se solucionan por completo en un ciclo de tratamiento, mientras que otros necesitan cuatro o cinco ciclos, lo que puede suponer tres años de sesiones alternando con períodos de descanso. La mejoría ha de ser progresiva y bastante objetivable por lo que el paciente encuentra motivación para continuar el tratamiento al comprobar su mejora mes a mes. Las alergias alimentarias responden con leves mejorías en unos casos y en algunos casos pueden mejorar bastante.

▶ **Amigdalitis y faringitis, afonía, tos.**

Tratamientos habituales sobre todo en los países donde la acupuntura forma parte del sistema sanitario público. De eficaz ayuda en casos agudos y muy eficaz en casos crónicos. Solo con acupuntura es posible que no se solucione por completo. Se realizan sesiones diarias o semanales según el caso sea agudo o crónico, con un total de 10 a 20 sesiones.

▶ **Ansiedad y depresión.**

Las alteraciones emocionales o nerviosas leves pueden llegar a solucionarse por completo en pocas sesiones. Los cuadros de ansiedad, angustia, depresión, responden muy bien como complemento al tratamiento farmacológico o psicológico, acelerando notablemente el proceso. La solución del caso depende de numerosos factores, y suele suceder con altibajos: períodos de mejora alternando con recaídas. Las sesiones pueden ser de 1 a 2 veces por semana durante un mes como mínimo y varios meses según el caso.

▶ **Artrosis y artritis.**
Los procesos reumáticos resultan ser uno de los motivos de consulta habitual en acupuntura. Se obtienen muy buenos resultados que no consisten en resolver la enfermedad, el resultado esperado es que deje de doler y se pueda realizar una vida normal o incluso trabajo o actividad deportiva. Puede llegarse a detener algo el avance de la enfermedad, ralentizándola. Las rodillas, la columna, y las manos responden con mayor efectividad. En segundo lugar los pies, hombros y caderas. Se realizan sesiones semanales en ciclos de 10 sesiones. Se descansa mínimo tres meses y máximo un año. Si durante el período de descanso se experimenta mejoría, se repite un nuevo ciclo de 10 sesiones y así sucesivamente hasta alcanzar la máxima eficacia.

▶ **Asma.**
Es uno de los tratamientos más realizados en acupuntura. Mejoran mucho los síntomas. Algunos casos se solucionan definitivamente en pocas sesiones. Entre 10 y 30 sesiones son necesarias, semanalmente.

▶ **Cardiopatías.**
Muchas arritmias funcionales entre otras alteraciones se benefician notablemente. Aproximadamente el 50% de los pacientes obtienen buenos resultados. Deben realizarse de 2 a 3 sesiones por semana, en ciclos de 15 a 20 sesiones.

▶ **Cefalea y migraña.**
Es uno de los tratamientos más efectivos. Prácticamente todos los casos obtienen mejoría. Muchos de ellos se solucionan definitivamente. Se realiza 1 sesión semanal en ciclos de 10 sesiones y con períodos de descanso hasta lograr la máxima eficacia.

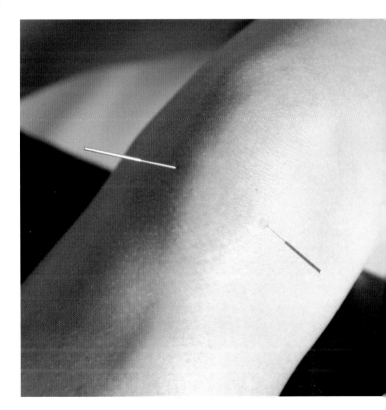

▸ **Dolor.**

Cualquier dolor es susceptible de mejoría notable con la acupuntura. El componente emocional, somático o la hipersensibilidad al dolor por parte del individuo deben abordarse con técnicas psicológicas.

▸ **Dolor articular en general, contracturas musculares.**

Excelentes resultados en pocas sesiones. De 1 a 2 sesiones a la semana hasta conseguir la máxima eficacia o resolución del problema.

▸ **Esterilidad.**

Recientemente se ha demostrado estadísticamente la eficacia de la acupuntura para mejorar los resultados en procesos de parejas con esterilidad sin causa aparente. Se trata a la mujer o ambos miembros de la pareja, 10 sesiones son suficientes. La mejoría en fecundaciones in vitro también se incrementa notablemente. Se realizan sesiones semanales o dos veces a la semana. Algunos casos, a pesar del tratamiento, continúan sin lograr su objetivo.

▸ **Estreñimiento y diarrea.**

La mitad de los pacientes en mi experiencia responden bien al tratamiento único con acupuntura, aunque combinándolo con fitoterapia, homeopatía, ventosas, puede conseguirse un resultado totalmente efectivo en pocas sesiones. Entre 5 y 30 sesiones suelen ser necesarias, a razón de una a la semana.

▸ **Fatiga crónica.**

Suelen conseguirse buenos resultados en casos de fatiga crónica. Sesiones semanales en ciclos de 10 sesiones con períodos de descanso de tres meses. Los casos más graves y severos no mejoran nada.

▸ **Hemorroides.**

Aplicando acupuntura, en muchos casos con láser, en el brazo y la oreja, se solucionan las hemorroides en pocas sesiones. Entre 3 y 20 sesiones según la gravedad.

▸ **Herpes Zóster.**

Tanto en fase aguda como en secuelas vale la pena el tratamiento para acelerar la curación y calmar el dolor. Sesiones 2 a 3 veces por semana según el caso.

▸ **Infecciones de repetición.**

El refuerzo directo o indirecto de la acupuntura es efectivo para reforzar el sistema inmune de la persona. Cistitis, bronquitis, gripes, etc.

se mejoran y sobre todo se previenen eficazmente con 3 a 20 sesiones semanales. Puede necesitar repetirse anualmente un refuerzo acupuntural del tratamiento.

▶ **Insomnio.**
Aunque es difícil su solución total en casos crónicos, se experimenta mejoría. Aproximadamente el 70% de los pacientes mejoran algo o mucho. Sesiones semanales o diarias según el caso.

▶ **Lesiones deportivas.**
Cualquier lesión tendinosa, muscular, esguinces. Se consigue acelerar notablemente la recuperación en casos agudos y recuperar totalmente muchos casos crónicos. Las sesiones son diarias o al menos tres veces por semana en casos agudos y semanales en casos crónicos. Únicamente una o dos sesiones, pueden ya ser de utilidad como complemento eficaz al tratamiento convencional para acelerar el proceso. Los casos más rebeldes pueden necesitar hasta 10 sesiones antes de experimentar alguna mejoría. Si el tratamiento está indicado la terapia es efectiva de tal manera que no se experimentan recaídas por este motivo.

▶ **Malposición fetal.**
Es uno de los tratamientos más

realizados por comadronas dada su alta eficacia, para ayudar al feto a girarse en las semanas cercanas al parto. Responde bien a la aplicación de termopuntura y magnetopuntura, con una a tres sesiones normalmente.

▶ **Náuseas.**
Uno de los estudios más consensuados es la efectividad de esta terapia para las náuseas con un solo punto. Resultado inmediato en crisis agudas y buen control sintomático en pocas sesiones.

▶ **Neuralgias.**
Muy efectiva la acupuntura. Controla muy bien el dolor. Se necesitan sesiones diarias en casos agudos, y semanales en casos crónicos. Entre 10 y 30 sesiones suelen ser suficientes.

▶ **Oftalmología.**
Alteraciones como conjuntivitis, ojo seco, orzuelos, nervio óptico afectado, por ejemplo, se tratan con buenos resultados en ciclos de 10 sesiones a razón de una a dos por semana.

▶ **Parálisis.**
Las parálisis recientes se recuperan mucho, mayor porcentaje de mejorías, mayor recuperación o incluso total según el caso. Es necesario

evaluar si vale la pena o no el tratamiento. Sesiones diarias o tres veces por semana, aunque alguna sesión esporádica ya es capaz de ayudar a que el proceso de rehabilitación se acelere.

▶ **Problemas de la columna vertebral.**
Los tratamientos más usuales relativos al dolor de espalda suelen venir acompañados

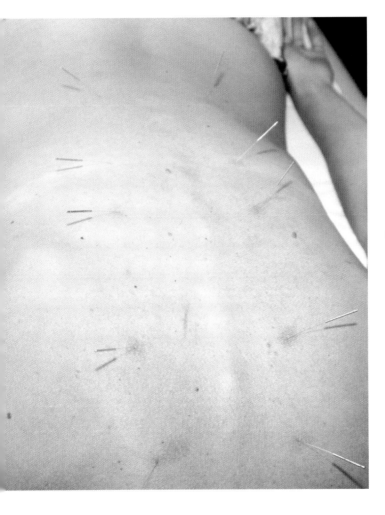

de diagnósticos tipo ciática, lumbago, contractura, tortícolis, pinzamientos, artrosis, o hernia discal. Los resultados son excelentes en pocas sesiones. En casos agudos suelen bastar entre 1 y 3 sesiones más o menos seguidas y en casos crónicos 1 sesión por semana obtiene rápidos resultados. En casos de estres o fatiga asociada, hernia discal o artrosis avanzada suelen ser necesarias más sesiones (semanales en ciclos de diez sesiones mínimo, repitiéndolas tras períodos de descanso) y en muchos casos es muy recomendable combinar el tratamiento con osteopatía o quiropraxia, homeopatía, o aplicación de ventosas. La solución o corrección sintomática del problema puede alcanzar siempre el 100% de casos.

▶ **Psoriasis.**
La acupuntura realizada al menos tres veces por semana ayuda a mejorar la psoriasis. Si se combina con tratamientos con fitoterapia u homeopatía, se solucionan por completo algunos casos. La mitad de los pacientes mejoran solo con acupuntura, aunque son necesarias muchas sesiones y muy frecuentes.

▶ **Reflujos digestivos.**
Buenos resultados en casi todos los pacientes. 1 o 2 sesiones

por semana, en ciclos de 5 a 10 sesiones son suficientes.

▶ **Síndrome de Parkinson.**
La electrocraneoacupuntura ayuda a controlar los temblores y el avance de la enfermedad. Sesiones semanales o inicialmente dos veces por semana. Ciclos de 10 sesiones con períodos de descanso y normalmente un ciclo de 10 sesiones cada año como mantenimiento.

▶ **Síndrome vertiginoso.**
Los casos leves se suelen solucionar rápidamente con la ayuda de la acupuntura. Los casos más graves y crónicos mejoran en muchos casos, algunos también pueden solucionarse y otros casos no experimentan mejora. Sesiones entre una y dos veces por semana durante 5 a 20 sesiones.

▶ **Secuelas de trombosis, embolias cerebrales.**
Uno de los tratamientos hospitalarios más realizados en Asia con acupuntura. Existen protocolos muy detallados y vale mucho la pena. Suele comenzarse el tratamiento a las dos semanas del suceso, aunque según la técnica empleada o según el caso puede iniciarse inmediatamente, o posponerse un tiempo. Sesiones diarias, durante semanas o meses.

▶ **Sensación de frío interno local o general.**
Tratamiento muy habitual en acupuntura. Se realizan sesiones semanales durante varios meses y la corrección es total.

▶ **Síndrome del túnel carpiano**
Las tendinopatías responden muy bien a la acupuntura, pero especialmente el síndrome del túnel carpiano, que personalmente sugiero combinar con la aplicación de ventosas y masaje en algunos casos. Se realizan sesiones semanales, hasta un total de entre 5 y 15 sesiones, si el sujeto se mantiene en reposo, o algunas más si realiza actividad laboral o deportiva con el brazo afectado.

▶ **Síndrome menstrual.**
Excelentes resultados a menudo definitivos tras realizar unas pocas sesiones. De 5 a 30 sesiones, a razón de 3 o 4 sesiones al mes.

▶ **Sinusitis.**
La sinusitis resulta ser un tratamiento habitual y efectivo. Son necesarias mínimo 10 sesiones para comprobar su efectividad y el tratamiento en algunos casos puede extenderse durante meses. Sesiones semanales.

▶ **Tendinitis.**
Se tratan con éxito muchas tendinopatías. Sesiones diarias

en casos agudos o semanales en casos crónicos. Entre 3 y 20 sesiones son suficientes. Las tendinitis calcificadas mejoran aunque es posible que no se solucione el dolor por completo, y la calcificación persiste.

▶ **Tratamientos de urgencias.**
La acupuntura se utiliza en los tratamientos de urgencias para calmar el dolor, recuperarse de desmayos, detener hemorragias, etc. Están reservados a los tratamientos hospitalarios.

▶ **Urticaria, eczemas.**
Aunque suele combinarse el tratamiento con fitoterapia, homeopatía, oligoterapia, la acupuntura por sí sola puede tratar los problemas de la piel. Los casos leves pueden solucionarse por completo en 1 a 10 sesiones.

Muchas otras patologías obtienen beneficio de la acupuntura y son muchos los casos que pueden solucionarse por completo, especialmente si el tratamiento es combinado con otras técnicas demostradas como efectivas. El listado sería largo de describir y deben ser llevados a cabo por especialistas acupuntores en dichas enfermedades.

De hecho, cualquier afectación es posible tratarla con acupuntura y, al reforzar el organismo, relajar el sistema nervioso, y regular el sistema simpático-parasimpático, así como regular los circuitos bioenergéticos del cuerpo, pueden obtenerse mejorías en cualquier problema a tratar. Sin embargo he querido centrarme en lo que a mi juicio vale más la pena tratar con los medios y el contexto socio-sanitario de que disponemos en nuestro país a día de hoy.

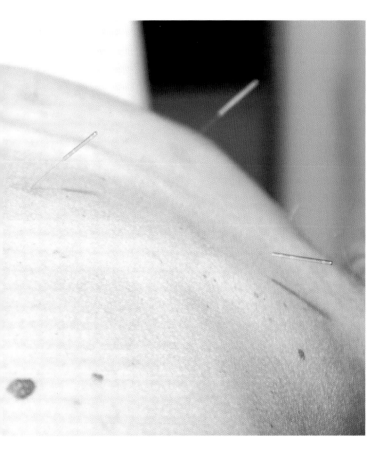

Qué efectos tiene la acupuntura

Menciono aquí expresamente la noción de «cuerpo vivo», pues la acupuntura se ha aplicado desde hace siglos en seres humanos, pero también en animales y en plantas. El grabado o mención más antigua referente a la acupuntura se encuentra descrito en hojas de palmera, procedente de Sri Lanka, y hace referencia a la aplicación de la acupuntura en elefantes.

Recuerdo muy especialmente estas hojas de palmera, que me fueron mostradas durante mi estancia en el hospital universitario de Colombo, donde observé la aplicación práctica y poco conocida de la Fitoacupuntura: utilización de la acupuntura con finalidad botánica, para el control de plagas y parásitos, así como para lograr tonificar a la planta, y que proporcione frutos mayores en tamaño; realmente mucho mayores en las plantas tratadas respecto a las que no, a pesar de hallarse todas en unas mismas condiciones ambientales, de riego, etc.

De hecho, es sencillo de comprobar el resultado por uno mismo con plantas o árboles frutales. La teoría básica propugna la puntura de «la piel» del tallo o raíz según interese, antes del nudo, a 45⁰, y lo que es fundamental es que la orientación de la aguja se realice hacia el este, para que la salida del sol tonifique la aguja y esta influya sobre la planta. Tendría sentido pensar que la acción térmica sobre el metal de la aguja, por el efecto del sol, en una determinada parte del tallo o raíz, debe realizar algún tipo de modificación electro-química sobre la planta. Estas evidencias quedan lejos del efecto placebo o psicológico que con frecuencia se intentan atribuir a estas técnicas terapéuticas.

Muchos estudios en animales y humanos demuestran que la acupuntura provoca respuestas biológicas que parecen actuar en:

▸ Regulación de la respuesta nerviosa.
▸ Disminución del umbral del dolor.
▸ Efecto antiinflamatorio, efecto anti-estrés.
▸ Mejora del patrón del sueño.
▸ Regulación del metabolismo y sistema endocrino.
▸ Regulación del sistema inmune.
▸ Regulación del aparato digestivo.
▸ Regulación de la tensión arterial.

Los efectos de la acupuntura en seres vivos han sido probados tanto en humanos, como en la extensa experiencia clínica hoy en día en veterinaria.

Una amiga mía, Marita Cassassolas, considerada una de las mejores expertas acupuntora veterinaria y formadora de especialistas en prestigiosas universidades europeas de veterinaria en la especialidad de acupuntura para animales, relata en sus libros efectos increíbles en estos tratamientos.

Yo mismo pude comprobar los resultados, a raíz de una experiencia con mi cachorro de Golden Retriever, que fue diagnosticado de parvovirosis (enfermedad hemorrágica intestinal), con un pronóstico fatal en apenas 24 a 48 horas. Nos recomendaron olvidarnos del cachorro, antes de que nos encariñáramos con él (ella de hecho) ya que no existía solución y moriría en pocos días. Nuestro sentir nos impedía seguir estas instrucciones, sencillas y lógicas, pero también dolorosas y carentes de sentido en ese momento. Por lo que acudí a Marita urgentemente.

Nuestra perra tiene hoy ya diez años y goza de una excelente salud. Tras la primera sesión dejó de sangrar, y a las tres sesiones ya comía y ganaba peso. En apenas cinco o seis sesiones, no recuerdo

ya bien, comía carne con apetito y satisfacción. Además, se dejaba pinchar las agujas, ¡se quedaba relajada cada sesión! Desde luego que el conocimiento que tienen Marita y sus alumnos va más allá de la acupuntura clínica veterinaria que se enseña en muchas facultades, debido a su formación tradicional con médicos chinos taoístas.

Creo sin duda que los resultados tan impresionantes que le he visto obtener se deben en parte a este enfoque terapéutico tan profundo, a esta forma de aplicar la acupuntura, de la que hacemos apenas un esbozo en el capítulo dedicado a la Teoría de los Cinco Movimientos. He podido constatar por mí mismo y también por compañeros míos, los resultados en caballos con ciática o ansiedad, vacas que dan poca leche, y personalmente le he derivado perros con sección medular, con parálisis total de las patas traseras, habiendo sido recomendado el sacrificio por parte del veterinario. En unas sesiones vi a ese perro volver a pasear por la calle con ligera cojera.

El lector puede creerme o no, pero lo que sí le aseguro es que no olvidaré nunca estas experiencias. De hecho siempre recomiendo a mis alumnos que no crean nada de lo que les digo, sino que lo experimenten por ellos mismos, y si les da resultado entonces se lo empiecen a cuestionar como posible. No es necesario poner a prueba un sistema que ha funcionado durante milenios. No pretendemos hacer milagros en seres humanos. Para ello he dedicado un capítulo específico sobre las expectativas realistas de la acupuntura. Pero créame el lector: **¡la acupuntura funciona!**

Muchos estudios se basan en el efecto de la acupuntura sobre el sistema nervioso, pero tal y como los estudios del Dr. Marcos Díaz Mastellari comenta en ellos tras su extensa experiencia de la aplicación de la acupuntura en el entorno hospitalario, esto no es tan simple. El efecto puede tener relación con la regulación de un sistema en desequilibrio, con el envío de señales de regulación, con la información que recibe un organismo alterado en alguno de sus niveles, sistemas o subsistemas. Esto probaría la diferencia de efectos en unos estudios respecto a otros.

Mientras que la administración de un fármaco en el organismo va a provocar siempre y en todo caso un estímulo-respuesta idéntico, por ejemplo una vasodilatación periférica o una analgesia; la acupuntura y los puntos de acupuntura a través de los cuales actúa esta, van a ejercer su efecto en función, y esto es determinante y diferencial del desequilibrio subyacente en el sistema o subsistema alterado.

Es decir, que en un sujeto sano, la acupuntura no ejercería ningún efecto, «ni bueno, ni malo».

Por ejemplo, en un sistema digestivo alterado, un punto que sea útil para el tratamiento digestivo, ejercerá una acción sobre ese sistema digestivo alterado. Si, además, las funciones de ese punto demostradas incluyen la analgesia o la vasodilatación, pero no existe ninguno de esos problemas, una afectación orgánica que precise de analgesia o vasodilatación, dicho punto limitará su acción sobre el aparato digestivo alterado, y nada más. Sin embargo si además del aparato digestivo se hallase alterado algún subsistema orgánico en relación a la analgesia o vasodilatación, ese mismo punto sí actuaría además sobre estos, y no solo sobre el aparato digestivo.

Si el sujeto padece de dolor articular por ejemplo, exclusivamente, dicho punto actuaría a este nivel, y no ejercería ningún efecto digestivo. Este sería el ejemplo del punto Zu San Li (36E), localizado bajo la rodilla, sobre el tibial anterior, en el lado externo de la inserción del tendón rotuliano.

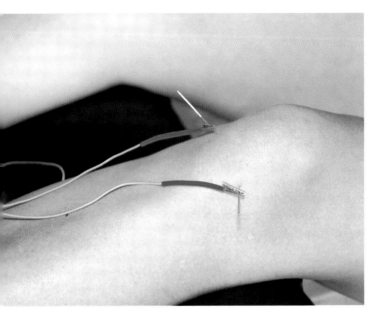

el equilibrio, la homeostasis, y para ello utilizará nuestros puntos de acupuntura activados por el acupuntor para regular el estrés en este caso, siendo este el sistema o subsistema alterado en este momento, y a continuación al sistema alterado en segundo lugar: el dolor articular o digestivo en nuestro ejemplo.

Por ello la evaluación global del paciente suele ser muy importante pues de esta manera descubrimos cuál es el sistema prioritario para el organismo, y utilizamos puntos que sean útiles para el problema por el que consulta el paciente y que además actúan sobre el sistema o subsistema que está afectado por encima de todo.

Este punto, Zu San Li (36E), con sus numerosas funciones: analgesia local y general, regulación del sistema nervioso, hipotensor, regulación gástrica, estimulación inmune, etc. ejerce su actuación solo en el sistema afectado.

Tiene sentido así también pensar cómo algunos pacientes obtienen más o menos resultado con un tratamiento dirigido a un problema concreto. Si el sistema alterado principal es por ejemplo el sistema nervioso (véase estrés por ejemplo) pero el acupuntor desea realizar un tratamiento para regular el aparato digestivo o un dolor articular, el tratamiento recibido por el cuerpo no será de gran efectividad. El organismo tenderá antes que nada a buscar

Para el paciente puede resultar que lo más preocupante, por ejemplo, sea su dolor de espalda o rodillas, pies, etc., que se haya acostumbrado al desgaste suprarrenal que le comporta su estrés, pero esto no lo entiende así el ordenador central, nuestro cerebro. Por lo que el tratamiento se desviará hacia lo más importante que el cerebro o el sistema corporal en busca de su equilibrio considere.

Así tenemos un paciente que acude por poli-artritis, por ejemplo, y que al enfocar el tratamiento hacia el control del dolor y la inflamación, obtenemos como resultado cero mejoría. Sí, cero mejoría tras varias sesiones. Su nivel de estrés y desgaste suprarrenal era elevado, pero ni el paciente, ya acostumbrado a ello, ni el acupuntor lo creyeron fundamental.

La elección de los puntos, la receta acupuntural, estuvo dirigida con puntos que actuaban sobre todo incidiendo en manos, dedos, rodillas, espalda, a calmar el dolor, etc., con lo que el resultado es igual a cero mejoría.

Si a este mismo paciente le hubiéramos tratado en primer lugar y sobre todo, con puntos para el estrés y la recuperación de su sistema de adaptación, su fuerza vital original, y simultáneamente o a posteriori tratáramos entonces los síntomas de dolor, en este caso sí obtendríamos resultados.

El problema es que si tratamos el estrés en una persona con estrés diario, va a ser lenta la obtención de mejoría y buenos resultados si no modifica en nada sus hábitos o forma de tomarse las cosas o su desgaste nervioso.

De la misma manera que si el problema principal fuera una alteración digestiva, y no se modifica la dieta ni la exposición al estrés, el tratamiento en este sentido sería lento. Lento no quiere decir que no lo vayamos a lograr.

Imagínese el lector lo siguiente, póngase por un momento en la piel de nuestro paciente «X»: acude por dolor articular y el acupuntor le ruega que regule un poco la dieta, que se relaje cada día un poco más, y que necesitará unas sesiones previas antes que el resultado sobre el dolor pueda empezar a notarse. Pasadas unas pocas sesiones sin aparente mejoría sintomática, el paciente «X» abandona el tratamiento, que además de dinero, le conlleva tiempo, que es igual a más estrés en su vida. Por ello los tratamientos que son subvencionados por sistemas públicos, por ejemplo, obtienen mejores resultados. Permiten tratamientos prolongados, más sesiones, más frecuencia de sesiones semanales, etc.

Existe un estudio que afirma que la acupuntura es más efectiva si se aplica en estado mental de ondas alfa, es decir, de relajación total.

Por eso las personas con aversión a la acupuntura, o que no conectan con el acupuntor, por el motivo que sea («me cae mal, no tiene ni idea, me quiere sacar el dinero...»), están en alerta permanente durante el tratamiento, en desconfianza tras la sesión (la desconfianza sabemos que mantiene el sistema nervioso en alerta, en estrés), obtienen peores resultados. Por eso los acupuntores que conectan más con

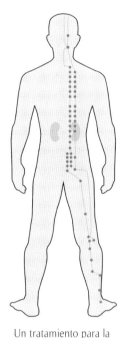

Un tratamiento para la articulación del pie, puede necesitar de una regulación previa a través de puntos que actúan sobre otros sistemas, por ejemplo a través de los puntos de la espalda. Esto es frecuente en la práctica clínica, y trataríamos la espalda y el sistema nervioso o digestivo a través de la espalda, para a continuación realizar un tratamiento local para el dolor articular del pie

los pacientes, o que les escuchan, obtienen mejores resultados. No solo porque así el paciente se cree que se cura, sino porque realmente el sujeto se relaja, confía, se ríe, y todo ello provoca que el tratamiento actúe antes sobre el sistema alterado principal, y rápidamente sobre los subsistemas alterados en segundo lugar (en nuestro caso el dolor articular).

Los tratamientos que tienen en cuenta lo que le pasa al paciente en todos sus sistemas (tratamiento de lo global, el terreno, la constitución) además del tratamiento concreto por el que consulta el paciente, pueden obtener mejores resultados en muchos casos, sobre todo en procesos crónicos. Y por esto, la pericia y experiencia del acupuntor son fundamentales.

Podemos decir pues, que los puntos de acupuntura estimulados tienden a regular los sistemas orgánicos alterados. Tendría sentido de esta manera hablar del mantenimiento de la salud por el que abogaba el antiguo sistema sanitario chino, que pagaba a sus médicos por mantener la salud del pueblo, y no por tratar la enfermedad.

Regulando el organismo, en el mismo momento en que aparezca una alteración orgánica, mucho antes frecuentemente, de que una enfermedad como tal se materialice,

ya podría realizarse su corrección, evitando de esta manera que se desarrolle el mal en el cuerpo.

Así pueden tratarse numerosos síntomas y enfermedades que no tienen nombre todavía en nuestro sistema occidental tradicional, *«pero si a mí me duele y me siento mal, ¡cómo me pueden decir que no tengo nada!»*. Este es un comentario habitual del paciente de nuestro sistema «moderno». Sin embargo, podemos regular el organismo del paciente antes de que llegue a desarrollarse un problema serio de salud.

Los límites de este tratamiento, y el momento de considerar cuando debe entrar en juego un sistema curativo u otro, los he comentado en otro apartado de este libro.

Mi consejo es que combinemos ambos sistemas, oriental y occidental, y que siempre contemos con un diagnóstico médico previo, para asegurarnos de qué nos pasa, hasta dónde llega la enfermedad, o si todavía «no tenemos nada», evitar que aparezca la enfermedad.

Investigación en acupuntura

Son muchas las fuentes fiables acerca de la investigación en acupuntura hoy en día. Uno de los mejores trabajos que he encontrado es el trabajo realizado por el Dr. Marcos Díaz Mastellari, *Efecto energético sistémico de la acupuntura y otras técnicas afines*. Agradezco la autorización del Dr. Marcos Díaz Mastellari, para utilizar parte de su estudio, que nos aporta sucinta información científica sobre los efectos acupunturales. Sus trabajos y estudios, su recopilación y sus investigaciones, basados en fuentes bibliográficas de seriedad contrastada, me han hecho optar por presentar al lector parte de sus conclusiones.

... los efectos demostrados de la acupuntura sobre los leucocitos, fagocitos, eritrocitos y la osteogénesis, en fin, estructuras y funciones que no tienen una relación directa conocida con el Sistema Nervioso podrían demostrar que no hay una relación sine qua non *entre Sistema Nervioso y efecto acupuntural.*

También ha existido una fuerte tendencia a vincular el mecanismo de acción de la acupuntura con diversos mediadores químicos que participan de la neuromodulación, pero consideramos que esto es una consecuencia, un efecto particular, y no el fundamento de lo que debe conducirnos a la comprensión sistémica del fenómeno que nos ocupa.

A modo de resumen, el mecanismo de acción sistémico de la acupuntura no debe ser una consecuencia de la síntesis y liberación de mediadores químicos por seis razones fundamentales:

1 *Por la diversidad y simultaneidad de sus efectos.*

2 *Por la rapidez con que discurren muchos efectos locales y sistémicos.*

3 *Por el carácter general, a la vez que específico, de sus efectos a distancia.*

4 *Por las características y la rapidez con que tienen lugar sus efectos sobre la ultraestructura celular.*

5 *Porque diferentes manipulaciones instrumentales de un mismo punto pueden provocar efectos también diferentes.*

6 *Por desencadenarse efectos similares con diversas fuentes de estimulación.*

A continuación, un listado de los puntos más utilizados, con una breve descripción de sus indicaciones en el terreno físico, mental y espiritual según la Medicina Tradicional China en sus diferentes estilos de pensamiento (se ha tenido muy en cuenta la opinión de G. Maciocia [1] y A. Hicks y cols. [2]).

[1] *The Psyche in Chinese Medicine*, G. Maciocia. [2] *Five Element in Constitutional Acupuncture*, A. Hicks.

10V	▶ Terreno físico: regula sistema nervioso para-simpático, contractura cervical; refuerza la energía. ▶ Terreno mental: manía, confusión mental, mala memoria y concentración. ▶ Terreno espiritual: actúa sobre el movimiento del agua y las reservas (véase capítulo de los Cinco Movimientos); ayuda a tener nuevas perspectivas acerca de la vida.
13V	▶ Terreno físico: patología pulmonar, afecciones respiratorias, sudor nocturno, calma el asma por su acción espasmolítica bronquial y mejora la circulación del hígado; puede frenar la arterioesclerosis. ▶ Terreno mental: actúa sobre la tristeza y sobre la necesidad de aparentar belleza y opulencia, necesidad de sobresalir. ▶ Terreno espiritual: actúa sobre el movimiento del otoño, recuperando la conciencia de Ser espiritual, y no tener que insistir en demostrarlo, ni sufrir por no sentirlo.
14V y 15V	▶ Terreno físico: patología cardiaca, activa la circulación de la sangre, ayuda en el tratamiento de la epilepsia. ▶ Terreno mental: calma la mente, ansiedad, insomnio, falta de concentración, promueve la alegría en su medida justa. ▶ Terreno espiritual: actúan sobre el movimiento del verano, ayudan a recuperarse de golpes emocionales, promueven la intimidad, la apertura emocional, la comunicación que tiene en cuenta al otro, y regula la sexualidad sana.
18V y 19V	▶ Terreno físico: patología hepato-biliar, insomnio, ictericia, epilepsia, hemorragia nasal, conjuntivitis. ▶ Terreno mental: ayudan a la sana expresión de la ira, sentirse descentrado, «como fuera de tu cuerpo». ▶ Terreno espiritual: actúan sobre el movimiento de la primavera, ayudan a concretar planes de futuro y a seguirlos de forma constante pero flexible, a tomar las decisiones necesarias para lograr los objetivos marcados.
20V y 21V	▶ Terreno físico: patología gástrica, diarrea, dolor abdominal, dolor de espalda, trata las petequias (puntos rojos hemorrágicos bajo la piel). ▶ Terreno mental: mantiene la mente despejada de ideas y pensamientos, «empacho» mental o emocional, obsesión, ideas circulantes, dificultad en asimilar más conocimientos. ▶ Terreno espiritual: actúan sobre el movimiento de la quinta estación, ayudan a digerir las experiencias de la vida, aportar la nutrición de éstas a tu actitud, aportar los límites y la dulzura necesaria en las relaciones.
23V	▶ Terreno físico: patología renal, favorece la excreción de orina, la expulsión de cálculos renales, la relajación y dilatación de los uréteres ▶ Terreno mental: depresiones en personas muy fatigadas, confusión mental y falta de concentración y de entusiasmo. ▶ Terreno espiritual: actúa sobre el movimiento del invierno, gestión de las reservas de energía, económicas, energéticas, etc.; pánico extremo, miedo a morir.
60V	▶ Terreno físico: despeja la cabeza, dolor cervical por frío o baja energía, hemorragia nasal, epilepsia infantil. ▶ Terreno mental: rigidez mental por «frialdad», permite encontrar el calor y fuerza internas para moverse mentalmente con flexibilidad. ▶ Terreno espiritual: desbloquea el movimiento del agua, en su visión de falta de reservas o fuerzas para subsistir.
62V	▶ Terreno físico: estrés, dolor de cabeza y vértigos, sofocos, dolores agudos de la parte alta del cuerpo, insomnio. ▶ Terreno mental: calma la mente, agitación, ansiedad, manía, hiperactividad. ▶ Terreno espiritual: promueve cambios rápidos en personas estancadas debido a insuficiencia del movimiento del agua.
12DM	▶ Terreno físico: patología pediátrica, dolor vertebral, afecciones del pulmón. ▶ Terreno mental: calma y despeja la mente, manía y enloquecimiento. ▶ Terreno espiritual: sentirse colapsado en el espíritu.
14DM	▶ Terreno físico: sofocos, vértigo, dolor vertebral cervical, conjuntivitis, afecciones de la piel. ▶ Terreno mental: despeja y refuerza la mente, depresión, mala memoria y concentración, confusión. ▶ Terreno espiritual: estimula a la persona cuando otros puntos no consiguen empujar a la persona lograr el cambio buscado.

Todos estos puntos aparecen detallados en las ilustraciones de las páginas 16 y ss.

26DM
- Terreno físico: desmayo, dolor lumbar agudo, mejora la ventilación pulmonar, disminuye la gastrina en la mucosa gástrica, aumenta la circulación sanguínea el nivel de la conjuntiva, anti-vómitos, disminuye la motilidad gástrica, incrementa la tolerancia celular a la hipoxia cerebral.
- Terreno mental: calma la mente y recupera la conciencia, manía.
- Terreno espiritual: recuperar la conciencia en el espíritu aturdido.

40VB
- Terreno físico: migrañas.
- Terreno mental: refuerza la capacidad de decidir, depresión, timidez, falta de iniciativa.
- Terreno espiritual: actúa sobre el movimiento de la primavera ayudando a la persona a decidir su camino y a decidir los cambios que debe realizar.

4IG
- Terreno físico: dolor en general, refuerza la contracción del útero, refuerza el peristaltismo y promueve la secreción de jugos gástricos; antiespasmódico bronquial y mejora la circulación coronaria; puede disminuir el volumen de la glándula tiroides y bajar el metabolismo basal.
- Terreno mental: calma la mente, ayuda a dejar ir y eliminar ideas y emociones estancadas.
- Terreno espiritual: volver a sentir la capacidad de auto-realizarse, de iniciar de nuevo por haberse limpiado de emociones o experiencias vividas, actúa sobre el movimiento del otoño.

18IG
- Terreno físico: tos, dolor de garganta, ronquera, hipertensión arterial.
- Terreno mental: aporta luz y claridad a la persona, cuando ésta se ha hundido por la pena y la tristeza.
- Terreno espiritual: aumenta la cantidad de fuerza interior para que la persona se sienta capaz de conectar con su parte espiritual de nuevo, actúa sobre el movimiento del otoño.

3ID
- Terreno físico: broncodilatador, contracturas cervicales y rigidez de la columna, hemiplejía.
- Terreno mental: equilibra vaivenes emocionales, aclara el pensamiento.
- Terreno espiritual: ayuda a tomar decisiones cuando cuesta ver los aspectos positivos en juego, y actúa sobre el movimiento del verano.

7ID
- Terreno físico: contractura cervical, dolor y espasmo del codo, dolor en los dedos, enfermedades febriles.
- Terreno mental: aclara la mente, risa excesiva, sicosis.
- Terreno espiritual: ayuda a la persona a resolver confusiones y ambivalencias, actúa sobre el movimiento del fuego.

7P
- Terreno físico: punto maestro cervical, afecciones respiratorias y faríngeas, palpitaciones, bostezo continuo, opresión torácica, respiración dificultosa, mejora la capacidad de vasodilatación arterial cervical, puede disminuir la cantidad de proteínas en orina.
- Terreno mental: mala memoria, preocupación, tristeza, personas que llevan los problemas en silencio.
- Terreno espiritual: sensación de liberación, de quitarse un peso que no dejaba respirar bien, especialmente cuando la pena y la tristeza han sido reprimidos por largo tiempo, actúa sobre el movimiento del otoño.

9P
- Terreno físico: patología vascular, recuperador general de la energía, tos, dolor e inflamación de garganta, mejora ventilación pulmonar, efecto hipotensor.
- Terreno emocional: refuerza a la persona que ha caído en un abismo emocional y desespero, aportando mayor estabilidad y control.
- Terreno espiritual: actúa sobre el movimiento del otoño, recuperando las reservas de esta energía y poniéndolas a disposición del paciente.

25E
- Terreno físico: dolor abdominal, diarrea, estreñimiento, falta de fuerza en las piernas, regula el peristaltismo, inmuno-estimulador.
- Terreno mental: inquietud mental, ansiedad, esquizofrenia, manía.
- Terreno espiritual: ayuda a la persona a lograr la estabilidad y conexión con la tierra, y la capacidad de conectar con su parte espiritual simultáneamente.

36E
- Terreno físico: inmuno-estimulador, actúa sobre la tensión arterial y la secreción gástrica, dolor de rodilla, aumenta la capacidad pulmonar, *shock* glucémico, trastornos gastrointestinales.
- Terreno mental: ayuda a asimilar conceptos intelectuales y emociones a cualquier nivel, estabilidad emocional y trata la inseguridad, preocupación, ansiedad y obsesión, aclara la mente en las personas que han estado pensando o estudiando mucho.
- Terreno espiritual: actúa sobre el movimiento de la tierra aportando centramiento.

40E	▸ Terreno físico: asma, acúmulo mucoso en cualquier parte del cuerpo, especialmente en la garganta. ▸ Terreno mental: locura, calma la mente, aporta equilibrio y armonía. ▸ Terreno espiritual: actúa sobre el movimiento de la tierra despejando los obstáculos e infundiendo la sensación de poder tener abundancia y prosperidad.
4RM	▸ Terreno físico: recupera la energía, infertilidad, impotencia. ▸ Terreno mental: inquietud, calma la mente reforzando la energía, ansiedad en un contexto de cansancio ▸ Terreno espiritual: aporta fuerza y centramiento.
1R	▸ Terreno físico: insomnio, hipertensión, agitación, sofocos, dolor de cabeza, fascitis plantar. ▸ Terreno mental: calma la mente, agitación, insomnio, mala memoria, miedo, manía. ▸ Terreno espiritual: permite contactar con la tierra a través de los pies, actúa sobre el movimiento del invierno y gestión de las reservas.
4R	▸ Terreno físico: dolor de la pierna por debilidad, dolor de espalda. ▸ Terreno mental: calma y refuerza la mente, somnolencia, miedo, propensión al enfado, infelicidad, deseo de encerrarse en casa. ▸ Terreno espiritual: acción estabilizante, falta de confianza, ayuda a sentirte seguro en tu casa y, por tanto, en tu terreno, actúa sobre el movimiento del invierno.
3C	▸ Terreno físico: punto de la alegría, temblor de la mano, contracción del codo, dolor en la región axilar y del hipocondrio. ▸ Terreno mental: calma la mente, manía, risa excesiva, inquietud mental y ansiedad. ▸ Terreno espiritual: actúa sobre el movimiento del verano.
7C	▸ Terreno físico: calma dolor y psiquismo, insomnio, llagas linguales, puede mejorar los síntomas de la angina de pecho y el electrocardiograma, y mejora la circulación coronaria y tiende a normalizar el electroencefalograma. ▸ Terreno mental: mala memoria, calma la mente, depresión y ansiedad en situaciones de alto estrés. ▸ Terreno espiritual: actúa sobre el movimiento del verano.
6PC	▸ Terreno físico: refuerza el efecto de cualquier otro punto utilizado a este nivel «abre el tórax», patología coronaria e insomnio. ▸ Terreno mental: calma la mente, facilita la sensación de respirar libremente, ansiedad, tristeza, depresión. ▸ Terreno espiritual: aporta estabilidad al movimiento del verano, nos defiende de los golpes emocionales, aporta chispa y presencia a la mente y al espíritu.
3H	▸ Terreno físico: hemorragia uterina, hernia inguinal, retención de orina, convulsión infantil, epilepsia, cefalea, vértigo, insomnio. ▸ Terreno mental: calma la mente, ansiedad, inquietud, desbloquea el enfado reprimido y los problemas derivados por reprimir éste. ▸ Terreno físico: anti-estrés, opresión torácica, alteraciones digestivas, suspiros, tensión premenstrual, problemas oculares y dolor de cabeza. ▸ Terreno espiritual: actúa sobre el movimiento de la primavera aportando estabilidad.
5H	▸ Terreno físico: problemas genitales, menstruación irregular, dolor de las piernas. ▸ Terreno mental: tristeza, inquietud, enfado, depresión, sensación de cuello apretado por bloqueo de comunicación.
14H	▸ Terreno físico: patología hepática, hipo, opresión en los costados y el tórax, mejora la circulación de la sangre en el hígado. ▸ Terreno mental: falta de entusiasmo por el futuro, aporta luz y esperanza a la persona deprimida por falta de confianza en un futuro mejor. ▸ Terreno espiritual: actúa sobre el movimiento de la primavera aportando dinamismo y ayudando a la persona a iniciar cambios y a autoafirmarse.

Las indicaciones de los puntos de acupuntura son muy extensas. Algunos de ellos están respaldados hoy en día por una gran investigación científica, como son por ejemplo los puntos 36E y 6PC (su localización puede observarse en las páginas 16 y ss.). Obsérvese la profundidad del estudio experimental realizado sobre los puntos de acupuntura. En la tabla siguiente pueden observarse algunas de las indicaciones más demostradas para estos dos puntos.

Punto 36 del Canal de Estómago (36E)

▸ Excita las funciones de las glándulas suprarrenales.
▸ Estimula el sistema retículo-endotelial.
▸ Eleva la concentración de inmunoglobulinas en el plasma.
▸ Incrementa o disminuye la motilidad gástrica.
▸ Incrementa la eficiencia de los factores protectores de la mucosa gástrica ante los elementos agresivos que favorecen las ulceraciones.
▸ Eleva el contenido de beta-endorfinas en la membrana de la mucosa parietal del estómago, píloro, duodeno, yeyuno e íleon, mientras que al nivel del lóbulo anterior de la hipófisis y del plasma no se producen cambios.
▸ Produce una elevación de la temperatura cutánea que se interpreta como consecuencia de una inhibición simpática central.
▸ Disminuye el consumo de glucosa en núcleos específicos del Sístema Nervioso Central (parabraquial y comisural).
▸ Tiene un efecto antiemético e inhibe la regurgitación.
▸ Incrementa el contenido de bicarbonato y sodio en el jugo gástrico.

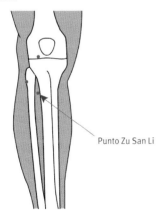

Punto Zu San Li

▸ Puede aumentar o disminuir el Ph del jugo gástrico.
▸ Puede incrementar los niveles de insulina en sangre.
▸ Disminuye los niveles séricos de triglicéridos.
▸ Puede disminuir la colesterolemia.
▸ Disminuye los tenores de urea en sangre.
▸ Puede disminuir la aparición de extrasístoles.
▸ Es capaz de aumentar la cantidad de péptidos opioides vinculados a los linfocitos.
▸ Incrementa la actividad espontánea de las neuronas del locus ceruleus y del núcleo medio dorsal del rafe.
▸ En el tracto gastrointestinal aumenta la electroconductividad.

Punto 6 del Canal de Pericardio (6PC)

▸ Tiene un efecto tranquilizante.
▸ Es capaz de aliviar el hipo.
▸ Modifica favorablemente el ritmo cardiaco en el curso de las arritmias.
▸ Alivia el dolor anginoso.
▸ Mejora la circulación arteriolo-capilar al nivel del SNC (Sistema Nervioso Central) en el infarto cerebral.
▸ Modifica los potenciales evocados somato-sensoriales.
▸ Aumenta la circulación sanguínea al nivel de la conjuntiva.
▸ Tiene un efecto antiemético e inhibe la regurgitación.
▸ Disminuye la motilidad gástrica.
▸ Puede incrementar la tolerancia de las neuronas a la hipoxia.

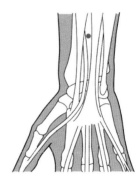

▸ En el miocardio isquémico, disminuye el consumo de glucosa, a la vez que incrementa la entrada de ácidos grasos libres en el músculo isquémico.
▸ Incrementa la tensión arterial en el shock hemorrágico.
▸ Aumenta la fuerza del bombeo cardiaco.
▸ Puede incrementar la viscosidad del plasma sanguíneo en el curso de las diátesis hemorrágicas.

Si consideramos la diversidad de efectos que pueden producirse con la estimulación de un mismo punto con una aguja, resulta difícil asociarla con las cualidades funcionales propias del SNC (Sistema Nervioso Central).

En el trabajo presentado por el académico ucraniano V. N. Zalessky y cols. en 1983 (...)se citan once efectos demostrados que tienen lugar con la estimulación de los puntos acupunturales. De estos, los nueve primeros aluden con fuerza al papel preponderante de la membrana.

Por otra parte, diferentes trabajos parecen demostrar el efecto neuroprotector de la acupuntura, la que puede disminuir el consumo de glucosa y oxígeno en núcleos o zonas específicas, así como aumentar la actividad de la encima superoxidismutasa, disminuirla de la peroxidasa lipídica, disminuir la concentración de radicales libres y preservar la integridad de los ribosomas y las mitocondrias, entre otros efectos. /.../

Los trabajos de D.X. Kang, en Kang, D. X.; Ma, B. R. y Lundervold, A., The effect of acupuncture on somatosensory evoked potentials. Clin. electroencefalogr. 1983 y de E. E. Meizerov, en Meizerov, E. E.; Reshetniak, V. K.; Touluev, A. M. y Durinian, R. A. Somatosensory evoked potentials and their dynamics among trigeminal patients during reflexotherapy. Zh. Neuropatol. Psikhiatr. 1986, no son los únicos que contribuyen a demostrar que la estimulación de los puntos acupunturales produce un efecto efímero y transitorio en el sujeto normal sano, mientras que en el enfermo, su efecto no solo es más intenso, sino que se mantiene aún después de suspender el estímulo. Las cualidades de este fenómeno pudieran resumirse diciendo que, cuando el sistema está en desequilibrio, la acupuntura es capaz de inducir cambios en él relativamente fácil, así como efectos más intensos y perdurables pero, cuando está en equilibrio, el sistema opone resistencia a los cambios y tiende a volver a su estado inicial tan pronto como se suspende la estimulación. Esta forma de comportamiento es común a los procesos homeostásicos y a muchos fenómenos físicos.

Si consideramos al organismo como un campo mayor, integrado por un conjunto de campos menores, los que se corresponderían con los diferentes subsistemas funcionales, cuando una de ellos se afecta, esto se traduce en el campo mayor en su conjunto, pero muy especialmente en aquella línea de fuerza (meridiano) en la que la actividad de ese sistema, aparato, o tejido particular se refleja.

Esta afectación es consecuencia, en última instancia, de las modificaciones de los campos que condicionan las células enfermas.

Al actuar sobre el campo del organismo en el sitio adecuado y de la manera apropiada, influimos sobre las células de los tejidos involucrados en el desequilibrio patológico, pero esta acción será débil y fugaz en las células sanas, mientras que en las enfermas, en tanto que en desequilibrio, el efecto será más persistente y marcado. Así, modificando el campo que generan las células enfermas, se puede ejercer una influencia sobre la membrana y, a través fundamentalmente de esta, contribuir a restituir el equilibrio funcional e influir sobre la estructura de la sustancia.

Este es, a juicio nuestro, el enfoque con que debe orientarse la investigación del mecanismo de acción sistémico de la acupuntura. Esta concepción teórica del problema pudiera propiciar una comprensión más cercana a la perspectiva sistémica y no lineal de la MTA, así como permitir explicarnos, a partir de un mecanismo físico primario, la liberación de una diversidad de mediadores químicos como consecuencia del reajuste funcional sistémico del organismo y de los tejidos afectos en particular.

Por su parte, las modificaciones estructurales de los tejidos y de la ultraestructura celular, serían las consecuencias que permitirían alcanzar la compensación, ya definitiva, ya transitoria, del equilibrio del sistema y la recuperación total o parcial de las funciones dañadas. Este ángulo de contemplación del fenómeno, que permite comprender cómo medios tan simples pueden desencadenar tantos efectos simultáneos de tan elevada complejidad, también pudiera trascenderla. Esta concepción teórica pudiera aproximarnos a una comprensión global del mecanismo de acción sistémico de los estímulos físicos sobre los seres vivos y a una consideración diferente, en tanto que universal , de la «Vida».

Dr. Marcos Díaz Castellari

Si después de todo esto, aún duda el lector de que la acupuntura funcione o se trate de un efecto psicológico, me pregunto por qué tantos científicos no se han dado cuenta y dejan ya de estudiar los efectos que tiene. Sin duda, la acupuntura funciona.

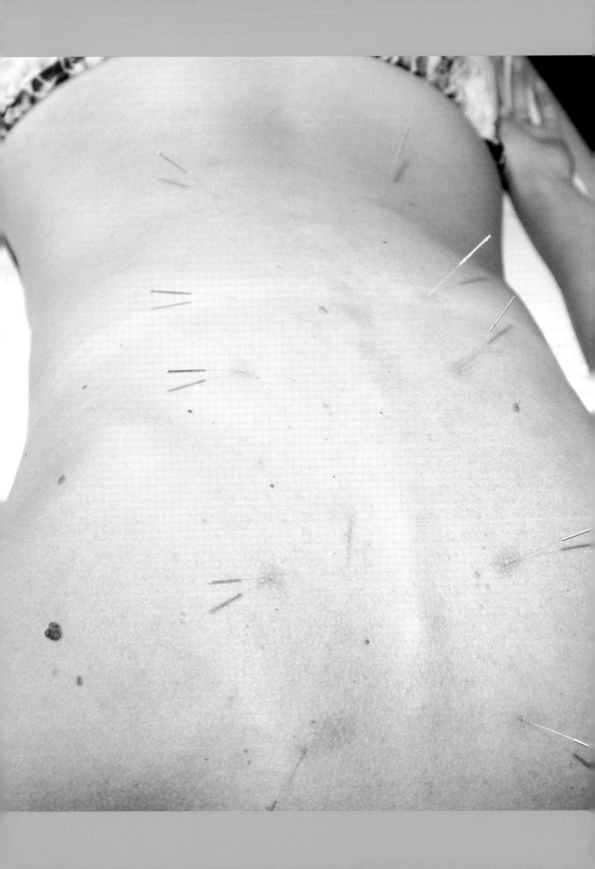

Cómo es una sesión

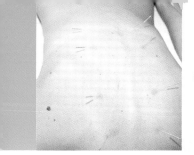

Cómo es una sesión de acupuntura

Si usted se está planteando la posibilidad de asistir a recibir tratamiento de acupuntura, lo primero que debe hacer es asegurarse de a dónde se dirige y en manos de quién pone su salud. Y lo primero que debe hacer es dejar de lado los consejos de aquellos a los que les fue bien tal o cual persona.

En primer lugar, usted no sabe si le fue bien el tratamiento a Pedrito, o bien Pedrito dice que le fue bien, ya que valora tanto la atención amable por ejemplo, que cualquier mejoría la ha exagerado al hablar con usted. Y tampoco debe rechazar a un profesional porque un conocido le diga que no le hizo ningún efecto. Pues como ya habrá leído en este libro, los resultados tienen que ver no solo con la acupuntura y el acupuntor, sino también con la respuesta que dé el organismo al tratamiento y la actitud del enfermo (pues si el médico del hospital nos dice que hagamos reposo porque nos jugamos la salud, seguramente le haremos caso, pero cuando nos lo dice el acupuntor amablemente, no siempre le tomamos tan en serio, y no reposamos lo mismo, y entonces el tratamiento, ¿por qué no funciona? ¿Por el tratamiento en sí, por la persona y su actitud?).

Además el hecho de que se les llamen medicinas naturales, no quiere decir, en absoluto, que no puedan hacernos daño. El comentario en el que se excusan muchos, tipo «lo peor que le puede pasar es que no le haga nada», no siempre es cierto. Pues todavía no hay estudios suficientes como para asegurarnos que en alguna parte de nuestro organismo se está debilitando algo, que pueda ser más o menos vital en algún determinado momento.

De hecho, si aplicamos la acupuntura según la Medicina Tradicional China, sabemos que de realizarse un mal diagnóstico, podría empeorar notablemente la salud del paciente. Y en un país como el nuestro en el que a fecha actual no están regulados los estudios en acupuntura, ¿qué seguridad tenemos de que no estamos enmascarando síntomas vitales?

Pongamos un ejemplo: si usted acude a un país donde la acupuntura forme parte del sistema público de sanidad, porque sean unos estudios oficiales, el acupuntor que lo trate si detecta que el tratamiento, por ejemplo, de un dolor de espalda dorsal, no cede en unas cuantas sesiones, probablemente lo derivará a otro acupuntor especialista justo en ese tipo de afecciones, o con mayor experiencia, o a otro tipo de medicina, por ejemplo la convencional. Uno u otro acabarán realizando más pruebas evaluativas y ajustando los tratamientos, hasta conseguir lo máximo que se pueda hacer por usted. Bien, ahora estamos en nuestro país a día de hoy, año 2010. Cualquier cosa puede esconder algo grave, y no debemos escoger un tratamiento alternativo para que no nos descubra «nada malo». Lo escogemos para que nos ayude.

El paciente debería ser libre de escoger el tratamiento que desea para su enfermedad, sea lo grave que sea, pero sabiendo lo que tiene, y las posibilidades de tratamiento y los posibles efectos secundarios con cada tipo de medicina. Y el profesional que lo atiende debería promover que tuviera un diagnóstico acertado y lo más preciso posible. Si en nuestro país no disponemos de especialistas ni hospitales de medicinas naturales, entonces no podemos escoger para siempre y en cualquier caso la acupuntura como sistema médico. Debemos saber cuándo y para qué, y con quién. Recordemos que, como hemos dicho, en acupuntura, la experiencia del acupuntor es fundamental.

Leído esto, se habrá dado cuenta de que, por el momento, no nos queda más alternativa que contar con un diagnóstico médico tradicional y su seguimiento periódico, simultáneamente al que nos sometemos con tratamientos naturales. Eso, claro está, si queremos hacer lo mejor por nuestra salud, que sin duda, es lo más precioso que tenemos.

Entonces se preguntará, ¿Cómo lo hago? ¿Qué hago? ¿Por dónde empiezo? Esta es mi opinión (y doy mi opinión pensando en qué es lo mejor para el lector como persona, no en qué es lo mejor que puedo escribir en este libro para difundir la acupuntura, ni para apoyar a los acupuntores, ni para conseguir que venga usted a verme a la consulta, lo que importa ahora es usted).

En primer lugar asegúrese de tener un diagnóstico médico tradicional. Si desea o no seguir el tratamiento que le prescriban es algo que deberá discutir con su médico, así como el momento de dejar la medicación farmacológica si la está tomando, pero no con el acupuntor. Al acupuntor le informará de sus enfermedades, del médico que le lleva, y del tratamiento que está siguiendo.

No transfiera competencias entre profesionales, el médico sabe

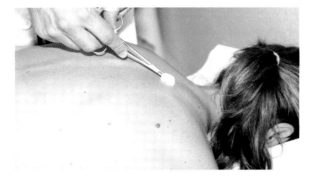

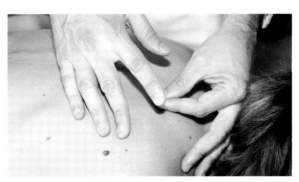

de medicina, el acupuntor de acupuntura.

Si el médico desea opinar sobre la acupuntura, debiera realizar o asesorarse en estudios serios sobre la misma (aunque el principio de precaución puede llevarle a establecer consejos para usted), y si el acupuntor desea opinar sobre su tratamiento médico, debe estudiar Medicina. Es así de sencillo. Cada cual en su terreno y si colaboramos, mejor todavía.

En segundo lugar debe escoger un buen acupuntor. Y debe estar pensando, bueno, ¿Y de dónde lo «saco», cómo me fío?

Puede de inicio, si lo desea, tener en cuenta el boca a boca de sus conocidos, pero no de forma determinante, sino como punto de partida. Le recomiendo que el acupuntor que usted elija haya cursado estudios reconocidos por universidades extranjeras de aquellos países donde sí que la acupuntura está reconocida oficialmente (China, Japón, Corea, EE.UU., País de Gales…). Puede si lo desea comprobar la validez de estos estudios en las embajadas correspondientes, pues es relativamente sencillo «inventarse» un diploma y firmárselo uno mismo con el nombre de una universidad cualquiera. Puede acudir a asociaciones que aglutinen a profesionales con unos requisitos mínimos de entrada. Las hay más fiables y menos fiables. Yo le recomiendo en España PEFOTS, Fundación Europea de MTC, Associació Catalana de Teràpies Naturals y FENACO.

Otra opción es escoger siempre a un acupuntor que sea personal sanitario reconocido en España (médico, enfermero, fisioterapeuta). Esto le da una garantía de un cierto conocimiento del funcionamiento de su cuerpo y de las enfermedades que puede haber ocultas tras cualquier síntoma. Es decir, nosotros los sanitarios hemos visto de todo en los Hospitales, y lo mejor que nos llevamos es el miedo a que usted pueda tener algo que se nos escape. Ese miedo que nos ayuda a cuidar de usted, sin haber estado en un hospital, es difícil de adquirir, y como decía, en España a día de hoy, los estudios de acupuntura no incluyen esta formación interina. Y es cierto que ser sanitario no garantiza ser buen acupuntor. De momento le garantiza que sea más difícil que se nos escape algo grave.

A partir de ahí debe comprobar cuántas horas de acupuntura ha cursado el profesional. Los mejores acupuntores que conozco en España sin embargo, no son sanitarios, son acupuntores bien formados, pero es solo mi experiencia por supuesto.

Usted puede comprobar a través del número de colegiado si esta persona dice ser quién es en realidad. A partir de ahí, pida el currículum y experiencia (años, horas como acupuntor, y experiencia en casos como el suyo). Le interesa que además de tener estudios sanitarios (medicina, enfermería, fisioterapia), tenga también buenos estudios en acupuntura, y no solamente un pequeño master de unas cuantas horas. A partir de aquí, no juzgue ya al profesional ni por el tamaño de su consulta, ni por si lleva bata blanca o no, ni si tiene o no tiene secretaria, etc. Esos detalles cualquier vendedor de terapias los cuidaría mucho, y no serían garantía de nada. Ni siquiera por la venta que le haga de sí mismo el acupuntor o su secretaria. Comprendemos que nos pidan garantías, y estamos encantados de darlas para evitar malas prácticas, así que defienda su derecho a comprobar los datos que le facilitamos. Puede si lo desea, empezar comprobando los míos, mi currículum que encontrará en este libro y en mi página web, está a su disposición.

Y con todo ello llega el momento de la primera visita. ¿Qué puedo esperar de mi primera sesión?

Lo más probable es que en la primera visita se le hagan una serie de preguntas y exploraciones para determinar lo que le sucede, y las posibles opciones de tratamiento. Después de esto se le debería ofrecer un plan de tratamiento y el posible pronóstico. Es decir, número de sesiones, frecuencia, y resultados esperables.

También es posible que según el motivo de consulta y la técnica empleada por el acupuntor, reciba tratamiento tras una breve descripción de su problema, y vayan hablando de los detalles futuros sobre la marcha.

Infórmese de con qué técnica o técnicas piensan tratarle, e indíquele si puede escoger la forma de llevar el tratamiento a cabo. Pues quizá para usted es muy importante curarse lo más rápido posible, por encima de todo, tanto si el tratamiento duele o no, como si le pinchan más o menos, como si ha de ir a diario a la consulta.

También es posible que usted no quiera sentir dolor, o no le gusten las agujas, o no pueda permitirse muchas sesiones mensuales, y en muchos casos pueden tenerse en cuenta todas estas cosas, para individualizar al máximo el tratamiento. Otras veces no es posible, o la persona que le va a tratar con su experiencia determina que no puede hacer más que lo previsto por él. Aún y en tal caso, siempre puede pedir una segunda opinión antes de iniciar el tratamiento.

Cómo es una sesión de acupuntura tradicional según los Cinco Movimientos

Deseo ilustrar al lector con un ejemplo práctico, según esta técnica, debido a que es la más rica en su enfoque e intención evaluativa y terapéutica.

En primer lugar, cuando usted entre en la consulta ya estará siendo evaluado por el terapeuta. No juzgado, en absoluto. La intención es tener en cuenta su forma de andar, la impresión que le transmite, su voz al hablar, el brillo de sus ojos, los pequeños gestos corporales, etc. Quizá desde que solicitó cita por teléfono ya tuviera en cuenta su tono de voz.

Posteriormente usted expondrá su motivo de consulta. El terapeuta intentará que sea lo más preciso posible; le realizará preguntas sobre todo su organismo y su entorno. Aspectos físicos, mentales, emocionales, relacionales, dieta, clima, entorno laboral y doméstico, etc. Explorará también su pulso, observará el color de su piel, su lengua, sus ojos. A continuación le pedirá que se tumbe en la camilla y explorará su abdomen: cada zona refleja el estado de uno de los cinco movimientos. Fijándose en temperatura, consistencia, flexibilidad-elasticidad de la piel, nódulos, presencia o ausencia de pulsos, etc. Si es necesario realizará el mismo estudio en su espalda, y en algunos casos las pantorrillas, por ejemplo.

Finalmente, llegará a la conclusión del movimiento principalmente afectado. Una vez llegado a este punto le propondrá un plan de tratamiento para corregir y equilibrar todo el sistema. Se basará el tratamiento en una corrección global de su organismo y en algunos casos al finalizar la sesión o a partir de unas cuantas sesiones, aplicará un tratamiento sintomático de refuerzo (por ejemplo para el dolor, las alergias, o lo que usted manifieste como principal molestia). Esto puede realizarse en puntos locales, o en la oreja, mano, pie... Puede realizarse con microagujas, láser o calor.

Pasadas unas pocas sesiones su terapeuta evaluará todos los datos recogidos en la primera visita para objetivar al máximo la mejoría de su organismo globalmente: físico, emocional-mental y relacional. Finalmente propondrá o no algunas sesiones más.

Este tratamiento puede ser algo diferente según el profesional que lo aplique y no por ello menos efectivo o menos experto, pero a modo de ejemplo es muy ilustrativo y real.

El terapeuta palpa la zona del fuego y extrae conclusiones acerca de la temperatura, flexibilidad, presencia de nódulos, o pulsaciones.

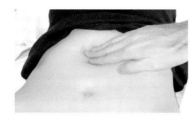

Evaluación del Movimiento del Verano-Fuego

La misma evaluación realizada en las zonas de madera, metal, tierra y agua.

Evaluación del Movimiento Primavera-Madera

Evaluación del Movimiento del Otoño-Metal

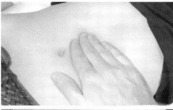

Evaluación del Movimiento Quinta Estación Tierra

Evaluación del Movimiento Invierno-Agua

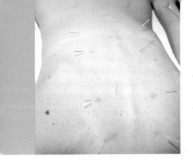

Preguntas frecuentes
Contraindicaciones, efectos secudarios

Una acupuntura bien realizada no entendemos que tenga efectos secundarios. En algún caso de pinchar zonas muy vasculares, puede aparecer un moradito, o quedar la piel un poco sensible. Esto es todo. El dolor de la puntura es posible eliminarlo con tubos guía y agujas especiales, aunque la percepción de este es muy subjetiva.

Las contraindicaciones de la acupuntura, no son de la acupuntura como tal, sino de algunos puntos o técnicas acupunturales que no deben utilizarse en determinados momentos (convalecencia, menstruación, embarazo, etc.). Estos puntos son conocidos por los acupuntores con buena formación y por tanto no debemos preocuparnos por ello. Solo debemos preocuparnos de escoger un buen profesional.

▸ **¿Qué se siente al recibir una sesión de acupuntura?**
Suponiendo el caso de adulto sin expectativas o miedos infundados sobre la acupuntura que lo lleven a un estado de nerviosismo tal antes del tratamiento, que lo que podemos decir que sentiría es precisamente eso: ansiedad y hipersensibilidad a cualquier puntura (algunos pacientes ya gritan nada más tocarles con el dedo para buscar el punto, por el miedo a la aguja. Si es su caso, escoja el láser, calor, etc.). En un caso normal pues, notará una cierta presión en la piel y nada más. Según la aguja o técnica empleada podría sentir en zonas muy sensibles como un pellizco realizado con las uñas (esos pellizcos tan pequeñitos pero que duelen como un demonio) o una descarga eléctrica como al darse un golpe en el famoso hueso del codo. Esto en pocos casos y puede ser minimizado o prevenido si tiene usted reparo. Informe a su acupuntor. Las agujas que duelen suelen ser las poco afiladas, de precio más barato (estamos hablando de una diferencia de uno o dos céntimos por aguja, pero aún y así es frecuente el acupuntor que escoge la aguja barata por encima de la aguja de calidad. No es mi caso). A continuación notará relajación, hormigueo, calor agradable, sensación de movimiento interno, reacción de liberación emocional, calma del dolor... Al retirarlas no notará nada. En algunos casos se manipulan las agujas cada

cierto tiempo para intensificar el resultado. Si le resulta desagradable notifíqueselo a su acupuntor.

¿Pueden lesionarse nervios?
Las agujas son tan finas que incluso punturando zonas nerviosas parece ser que no se llegan a lesionar.

¿Pueden transmitirse infecciones por las agujas?
Aunque no hay casos descritos que yo sepa, es obligatorio seguir las normas preventivas en estos casos. Rechace agujas que no sean de un solo uso o recién esterilizadas para usted. Rechace las agujas si se las entregan en un tubito para que se las lleve a la siguiente sesión. Además de poco recomendable, es un atentado contra la salud pública que tiene duras sanciones para el profesional.

¿Las agujas son muy largas o gruesas?
Existen de todos los tamaños y calibres. Pero no tiene nada que ver el tamaño con el dolor.

¿Es peligroso? ¿Puede llegar a pasarme algo malo si recibo un mal tratamiento?
Si recibe un tratamiento por personal con mala formación, con bajos conocimientos en anatomía, por ejemplo, puede

lesionar estructuras vitales que no debieran ser pinchadas. La pregunta debería ser: ¿si pongo mi salud en manos de alguien que haga mal la acupuntura es peligroso? Por supuesto. ¿Si me realizan bien la acupuntura es peligroso? En absoluto.

No deje que le pinche cualquiera, es su salud, es su responsabilidad.

Apéndices

Si desea estudiar acupuntura

Si lo que desea es estudiar acupuntura, antes que nada debe asegurarse de por qué quiere hacerlo.

Si está seguro que es porque le gusta esta forma de ayudar a la gente, adelante.

Si es para ganarse la vida con algo «chulo» y «exótico», diferenciarse de los demás, o porque es anti-medicina convencional, entonces, por favor, no lo haga.

Si ya tiene claro que desea ser acupuntor, infórmese bien de los distintos enfoques que hay disponibles. Chino, coreano, japonés, más atendiendo a las emociones, más a los aspectos clínicos, etc.

Los cursos que yo imparto regularmente, por ejemplo, le facilitan tratar al enfermo desde la globalidad y con cualquier técnica, que no solo con agujas, atendiendo mucho a la evolución del ser humano, y tocando de pies a tierra, al tener también en consideración los aspectos científicos y concretos de la acupuntura.

Si un paciente consulta por un esguince de tobillo o una hernia discal no vamos a pensar siempre en una relación extraña detrás de todo ello. Sin embargo, sí vamos a tener en cuenta todo su entorno (ambiente, familia, trabajo, emociones, dieta...) por si existen causas que debilitan la salud general de la persona y la predisponen por ejemplo a una hipersimpaticotonía, que provoca acidez local, que favorece el dolor crónico, un metabolismo deficiente, etc. Así que infórmese bien primero.

En segundo lugar, si quiere dedicarse a ello, acuda a una escuela que esté reconocida por algún organismo o asociación internacional o nacional, es muy recomendable. Y si puede asistir directamente a estudiar al extranjero, mejor que mejor.

Una vez finalice los estudios, realice una buena formación práctica, continúe estudiando hasta el último de sus días, trabájese personalmente para conectar de corazón con los enfermos (si cree que esto es algo que le cuesta) y ¡adelante!

Sin duda va a disfrutar, y observará resultados ¡**absolutamente increíbles**!

Acerca del autor

Josep Carrion nació en 1971 en Barcelona. Desde bien pequeño descubrió su talento para estructurar ideas, sintetizarlas y aplicar cada concepto particular, cada técnica, cada idea, en su ámbito de máximo resultado. Acompañado toda la vida por la práctica de artes marciales, Qi Gong, y Tai Qi, que resultaron fundamentales en la resolución de un grave problema de espalda.

Su paso por el deporte y sus crisis personales le llevaron a encontrar un rumbo que no solo le serviría a él para encaminar su vida, sino con el que también ayudaba a los demás. En su proceso de dejar al ego marchar, entró en contacto con terapeutas, médicos, terapias de crecimiento personal, que le llevarían a plantearse la conjunción de dos planos aparentemente duales: la energía, el corazón, lo espiritual, y la ciencia, la mente, el mundo objetivo. Abrazando ambos conceptos con amor y aceptación total, uniría ambos mundos, y de esta conjunción sale a la luz su don. Aportar al mundo dual la unión de los opuestos. Respetar la individualidad de cada cual. Aportar «toma de tierra» al individuo marcado por su espiritualidad y sentir subjetivo, y mostrar el mundo energético y la conciencia al más científico.

Tras veinte años dedicados a la práctica profesional, y a la formación continua en diversas disciplinas acumula un currículum, como Diplomado en Enfermería, Licenciado en Medicina Tradicional China por la Facultad de Yunnan, Heilpraktiker (ambos estudios no reconocidos en España, y no relacionados con la carrera de Medicina tradicional que aquí se imparte), Estudios en Sintergética con el Dr. Jorge Carbajal, y una larga trayectoria de formación teórico-práctica que el interesado en ello puede consultar libremente en su página web, **www.hamsini.es**, en el apartado «Terapeutas».

Este libro nace después de varios años de confluencias, causalidades, bloqueos y esperas a este momento, en el cual, y a través del cual, espero aportarle a usted, lector, lo mejor de mi saber y experiencia a día de hoy. Con mi corazón y con mi mente (ambos abrazados en mis manos mientras le escriben estas líneas).

J. Carrion Fernández

Si usted desea consultar con el autor puede dirigirle un mail directamente a la dirección **jcarrion@hamsini.es**

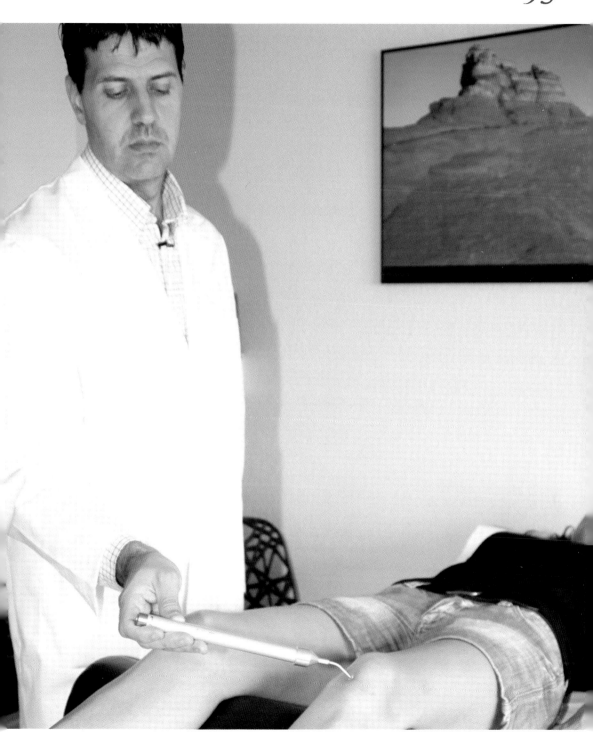

Es propiedad
© Esther Blanes, cesionaria de los derechos
del autor Josep Carrion
www.elmundodelasterapias.com

© de la edición en castellano, 2011:
Editorial Hispano Europea, S. A.
Primer de Maig, 21 - Pol. Ind. Gran Via Sud
08908 L'Hospitalet - Barcelona, España
E-mail: hispanoeuropea@hispanoeuropea.com
Web: www.hispanoeuropea.com

Dibujos de las páginas 43, 45, 47, 50 y 52 de
Sara Costa Escobar

Depósito Legal: B.·10.540-2011

ISBN: 978-84-255-1966-6

Consulte nuestra web:
www.hispanoeuropea.com

Impreso en España
Limpergraf, S. L.
Mogoda, 29-31 (Pol. Ind. Can Salvatella)
08210 Barberà del Vallès

NOTA IMPORTANTE

La información de este libro-DVD no
pretende sustituir bajo ningún concepto
prescripciones médicas.
Si el lector tiene dudas sobre si puede
aplicar estas técnicas, recomendamos
que pregunte a un profesional. El autor y
el editor no se hacen responsables de un
uso indebido de esta terapia.